KB096318

세미 리타이어

세미 리타이어 (SEMI RETIRE)

발 행 | 2024년 05월 28일
저 자 | 푸른염소
펴낸이 | 한건희
펴낸곳 | 주식회사 부크크
출판사등록 | 2014.07.15(제2014-16호)
주 소 | 서울특별시 금천구 가산디지털1로 119 SK트윈타워 A동 305호
전 화 | 1670-8316
이메일 | info@bookk.co.kr

ISBN | 979-11-410-8682-4

SEMI RETIRE

세미 리타이어

"부자가 될 것인가 경제적 자유를 얻을 것인가"

푸른염소 지음

BOOKK

들어가며

  필명 푸른염소는 경제적 자유를 얻고 세미 리타이어(Semi-Retire) 중인 X세대 직장인입니다.

  저는 'UX 디자인' 또는 '경험 디자인'이라고 부르는 분야에서 일하고 있습니다. 삼성전자에서 11년, 쿠팡에서 팀장으로 2년을 근무했고, 현재는 중소 디자인 전문 회사의 연구소장이라는 직함을 가지고 있습니다. 지금까지 직업을 유지해오는 과정에서 두 번의 은퇴를 시도했고, 그 과정에서 프리랜서 생활도 1년 반 정도 했습니다.

  본업으로는 세계적인 디자인 어워드에서 다수 수상한 경력도 가지고 있으며, 대학과 정부 기관 등에서 여러 차례 강의한 경험도 있습니다. 제가 참여하거나 리드했던 프로젝트 중에서 대중들이 알 만한 것을 들면, 갤럭시S와 갤럭시 노트 시리즈의 일부 기능들, 제네시스 차량 디스플레이에 탑재되는 일부 기능도 기획한 적이 있습니다. 2022년에는 '국가 모바일 신분증(모바일 운전면허증) 프로젝트'의 사용자 경험을 총괄 리드하기도 했지만 이 프로젝트 이후로 실무에서는 완전히 손을 떼고 세미 리타이어(Semi-Retire) 중입니다.

　제가 디자이너로서의 경력과는 무관하게 경제와 재테크에 대한 글을 쓰는 이유는 저 역시 가난한 흙수저로 시작했기 때문입니다. 어린 시절 다섯 평 남짓 되는 가건물 단칸방에서 4명의 식구가 몸을 부대끼며 살았고 혼자 힘으로 대학원까지 졸업했습니다. 학자금 대출만 남았던 무일푼으로 늦은 사회 생활을 시작한 이후부터는 악착같이 돈을 모아서 직장 생활 초기 3년 동안 1억 원이 넘는 돈을 저축할 수 있었습니다. 그러나 2007년 서브 프라임 사태로 당시 전 재산의 60%가 넘는 손실을 보게 되었습니다. 사회 초년생으로서 너무나 감당하기 힘든 고난이었지만 이때부터 직장 생활과 경제 공부를 본격적으로 병행하기 시작했고, 현재까지도 삶의 절반 이상은 투자자의 정체성으로 살아가고 있습니다.

　20년 넘게 가계부를 쓰면서 현재는 3채의 부동산을 소유하고 강남에서 임대업을 하고 있으며 매년 1억 5천만 원을 저축합니다. 그렇게 오랫동안 꿈꾸던 경제적 자유를 얻고 세미 리타이어(Semi-Retire)를 선언하게 되었습니다.

　세미 리타이어(Semi-Retire)는 현업과 은퇴의 중간 지점을 말합니다. 경제적으로는 자유롭지만 직업적으로는 절반의 은퇴와 같은 상태로 일하는 것을 말합니다. 제가 완전한 은퇴를 결심했던 시점이 이미 5년은 지났지만 아직도 직장 생활을 하고 있는 이유는 그동안 후회 없이 은퇴 실험을 해봤고 그 과정에서 깨달은 것들이 많으며, 세미 리타이어(Semi-Retire)가 앞으로 경제적 자유를 이룬 사람들의 전형적인 은퇴 유형이 될 것으로 생각하기 때문입니다.

이 책은 제가 '푸른염소 칼럼'이라는 제목으로 블로그에 2년 간 써온 글들을 모으고 블로그에 공개적으로 쓰기 어려웠던 부분들을 추가하여 펴낸 것입니다. 사회 생활을 시작하는 초년생들에게 그리고 경제적 자유에 도달하는 꿈을 꾸며 치열하게 현실을 살고 있는 많은 직장인들에게 저의 이야기가 도움이 되었으면 합니다.

2024년 봄
푸른염소

목차

Chapter 05 경제적 자유를 위한 실천

Chapter 01

경제적 자유에 대하여

Freedom

01

나의 조기 은퇴 과정에서 깨달은 것들

제가 조기 은퇴를 처음 생각하게 된 건 직장 생활 9년 차 정도되던 2013년이었습니다. 어린 시절 가난 때문에 마음 썼던 기억이 너무 많이 남아 있어서 사회생활 시작하면서부터 돈을 악착같이 모으기 시작했고 나름 회사에서 연봉이 높아지는 경력 구간에 진입했을 때는 자산도 어느 정도 쌓인 상태였습니다. 당시에는 비혼을 생각하고 있었는데 어느 날 조금 현타가 왔다고 해야 할까요? '혼자 사는데 돈이 이렇게까지 필요할까?' 라는 의심이 들기 시작했습니다. 그래서 혼자 살기에 적당한 주거비용과 투자 자금을 계산해 보니 앞으로 약 4년 정도만 더 일하면 크게 경제적인 고민 없이도 살 수 있을 것 같다는 생각이 들었습니다. 그렇게 처음으로 은퇴자금을 직접 계산하고 보니 뭔가 악착같이 살던 마음이 조금은 여유로워지는 듯한 기분을 느낄 수 있었습니다.

이때 은퇴에 필요한 자금으로 계산했던 기록이 지금도 남아있습니다. 4년 후에 은퇴하는 것을 가정하여 필요 자본으로 7억 원 정도를 생각하고 있었습니다. 직장이 가까운 강남에서 혼자 자취를 하던 시절이었는데 은퇴를 한다면 굳이 강남이 아닌 외곽에 1억 5천만 원 정도의 전세금으로 주거비를 해결하고 나머지 5억 5,000만 원을 투자해서 연 수익 4%를 얻는다는 계산을 했습니다. 당시 물가로 일 년에 2,200만 원 정도의 자본 소득이라면 혼자 사는데 크게 부족할 것 같지는 않았습니다. 월 소득으로 따지면 183만 원 정도 되는 금액입니다.

2014년, 다른 회사도 경험해 보자

경제적 자유를 얻은 상태는 아니었지만 앞으로 경제적인 부분에 있어 크게 두려울 것은 없다고 생각해서 다른 회사도 한 번 경험해 보기로 합니다.

저는 삼성전자 출신입니다. 지금도 크게 다르지 않지만 당시에는 누구나 들어가고 싶어 하는 대기업이었기 때문에 아무리 해보고 싶은 일이 있다고 해도 쉽게 퇴사를 결정하기는 어려운 문제일 수 있습니다.

대기업에 근무하다가 젊은 나이에 퇴사하고 해외로 유학을 가거나 사업을 하는 등 상당히 도전적인 시도를 하는 경우를 저는 많이 봐왔습니다. 이들의 도전을 폄하할 생각은 없으나 제가 대기업에서 만나 본 동료들 중 저처럼 경제적인 기반이 매우 취약한 사람이 과감하게 회사를 그만두는 경우는 손에 꼽을 정도였습니다. 모두들 어딘가 한편으로는 믿을 만한 구석이 있는 사람들이었다고 생각합니다. 자신이 스스로 흙수저라고 생각한다면 새롭게 도전해 보고 싶은 일이 있더라도 최소한의 경제적인 안전망을 자신에게 만들어 놓고 시작해야 합니다. 세상에 믿을 사람은 오직 나 자신 뿐이니까요.

2016년, 기한 없이 일을 멈춰보자

2016년에 두 번째 회사를 그만두면서 은퇴에 대해 첫 실험을 해 보기로 합니다. 2013년에 계획했던 은퇴 자금을 모았고, 스무 살 때부터 돈 벌면서 학업 하느라 너무 쉼 없이 달려왔다는 생각이 들기도 했습니다. 이때만 해도 완전한 은퇴라고 생각하기보다는 일단 기한 없이 일을 그만둬 보기로 합니다. 그리고 그해 봄에는 돌아오는 날짜를 계획하지 않고 국내 여행을 떠나 보기도 했습니다.

배낭에 최소한의 짐만 넣고 출발하여 평소에 여행으로는 가보기 어려운 지방의 소도시들을 돌아보며 새로운 사람들을 만나보기도 했습니다. 안동의 한 게스트하우스에서 머물 때는 며칠 묵으면서 친해진 게스트하우스 사장이 게스트 하우스를 저에게 맡겨 놓고 본인은 강릉으로 여행을 가기도 했습니다. 제가 게스트하우스도 한 번 해보고 싶다는 말을 했기 때문입니다. 비수기 때라서 며칠 봐주다가 손님이 없어 문 닫고 경주로 이동하기는 했지만 이런 것들도 생존을 위해서만 달려오던 저에게는 새롭고 좋은 경험이었습니다.

은퇴를 꿈꾸는 사람들은 은퇴만 하면 행복할 거라고 생각하지만 오히려 갑작스러운 은퇴는 많은 시행착오를 거치게 하고 경우에 따라서는 큰 상실감을 남길 수도 있습니다. 은퇴를 꿈꾼다면 작은 시도부터 할 수 있는 방법을 찾는 것이 좋습니다.

인간은 생각보다 훨씬 사회적 존재이다

당시에 여러 번의 여행과 지인들과의 만남을 몇 개월 동안 지속하면서 깨달은 부분이 있는데, 현대의 인간은 생각보다 훨씬 더 사회적 존재라는 것입니다. 저도 직장 생활을 10년 넘게 하다 보니 나를 설명할 타이틀이 없다는 점이 개인적으로 상당히 스트레스로 다가오게 되었습니다.

우리는 초등학교에 입학하면서부터 소속을 가지게 됩니다. 어느 학교 몇 학년 몇 반 누구, 어느 대학교 무슨 학과의 누구, 어느 회사에 다니는 누구, 어떤 직업을 가지고 있는 누구... 그래서 새로운 사람을 만났을 때 직업이 없는 나를 소개하는 방법에 대해 지금까지 배워본 적도 생각해 본적도 없었다는 것을 깨달았습니다. 생각해 보면 어느 곳에 소속되어 있지 않은 경험을 평생 동안 거의 해본 적이 없었으니까요. 그래서 그해 여름쯤 세미 리타이어먼트(Semi-Retirement)에 준하는 취업을 하고 대학 강사, 기업인 대상 강의 등 다양한 경험을 시도하게 됩니다.

인간이 사회 구성원으로서 존재하는 한, 사회적 존재로서 자기 자신을 설명할 방법을 찾는 것은 대단히 중요합니다. 그런 의미에서 'OOO 작가'라거나 'OOO 배우'와 같이 변하지 않는 직업적인 타이틀을 가지는 것은 대단히 부러운 일입니다. 실제로 소득의 높고 낮음과 상관없이 고유한 직업적 타이틀을 가지고 있는 사람들의 자기 직업에 대한 만족도는 상당히 높은 편입니다.

2019년, 프리랜서로 살아보자

2019년에는 직장에서 업무적으로 큰 스트레스를 받고 있던 아내가 1년 동안 휴직을 하기로 결정했습니다. 그래서 저도 바로 회사를 그만두고 나와서 이번 기회에 아내와 여행도 많이 다니고 고정된 직장이 아닌 프리랜서 생활도 경험해 보기로 합니다.

그 해에 장기간 동유럽 여행도 하고 전국을 여러 차례 일주했는데, 놀고 있다는 소문이 나면 여지없이 일을 해달라는 연락이 오던 시절이었기 때문에 오스트리아 여행 중에 프리랜서로 일 해달라는 연락을 받고 6월부터 프리랜서 생활을 시작합니다. 그 후로 프리랜서 생활을 1년 반 정도 해봤지만 이것도 장단점이 있다는 생각이 들었습니다. 시간적으로 자유로운 건 물론 좋았지만, 직업 특성상 하나의 프로젝트를 책임지고 팀원들을 리드해야 하는 역할이다 보니 매번 프로젝트마다 새로운 사람들과 일하는 게 개인적인 성향에 잘 맞지 않았던 것 같습니다. 이 부분은 조직 생활을 워낙 오래 해온 관성이 있기 때문이라는 생각이 듭니다. 사람에 따라서 성향에 맞을 경우에는 대단히 만족스럽게 직업적인 상태를 유지하고 있는 경우도 많이 봐왔습니다.

당시에 완벽히 은퇴할 정도의 소득 구조를 만들지는 못했던 시기이지만 2018년도부터 오피스텔 임대업을 시작한 상태이다 보니 굶어 죽을 정도로 돈이 없는 것도 아니었습니다. 그래서 프로젝트를 하나 끝내고 나면 다시 일을 시작하기까지 정말 오랜 마음의 준비가 필요했습니다. 여담이지만 그때는 저녁에 일 마치고 회식하는 직장인들이 왜 그렇게 부러워 보이던지, 회사 다니는 건 싫었지만 회식은 좋아 보였나 봅니다.

주변에 은퇴하고 싶다고 얘기하는 사람들의 대부분은 직장인입니다. 반대로 현재 자기 일을 하고 있다고 스스로 생각하는 사람들은 은퇴를 꿈꾸기보다는 지금 하고 있는 일을 좀 더 오래 하기를 원합니다. 그러나 역설적이게도 은퇴를 하기에 가장 준비가 안 되어 있는 사람들 또한 직장인입니다. 직장 생활이 꼭 단점만 있는 것은 아니라는 점에 대해서 스스로 인정을 하면 온전히 야생에서 부딪히고 있는 사람들보다 훨씬 안정적인 조건에서 많은 것들을 준비할 수 있습니다.

2021년 이후, 세미 리타이어먼트(Semi-Retirement)

그 사이에 여러 가지 복합적이고 복잡한 상황들이 있었지만 어쨌든 2020년 말에 다시 직장을 갖게 됩니다. 오랜만에 조직을 다시 갖다 보니 2021년 한 해는 온전히 회사 일에 몰입했던 한 해가 되었습니다. 아끼는 후배 직원들을 위해 일 년간 모든 걸 투자해 보자 생각하고 정말 열심히 일했던 것 같습니다. 그리고 2022년 여름, 회사와 협상하여 연봉과 일을 줄이고 글을 쓰기 시작했습니다. 현재는 연봉을 낮췄으나 회사에도 도움을 줄 수 있고 직업적 타이틀도 있으며 시간적으로도 충분한 여유를 가지고 있습니다. 여유 있다고 온전히 노는 성격은 못되다 보니 온라인으로 지방의 학생들을 가르치며 나름의 보람도 찾고 있습니다. 무엇보다 오래전부터 미루어 오던 글쓰기를 시작했다는 점에서 매우 만족하고 있습니다.

사람들이 회사가 다니기 싫은 이유는 그 일 자체가 싫은 것 보다는 명확히 구분되어 있는 갑을 관계가 싫은 경우가 대부분입니다. 누구나 오랜 시간 동안 자기가 일하고 싶은 분야를 고민하고 준비해서 그 일을 선택했을 것이기 때문입니다. 회사와 직원의 갑을 관계에서 연봉 협상을 할 때, 노동자는 어떻게든 연봉을 올리고 싶어 하고 사용자는 어떻게든 덜 올려주고 싶어 하는 것이 자연스러운 상호 관계입니다. 그러나 내가 내 삶을 책임질 수 있을 정도의 충분한 자산과 소득이 있다면 헤게모니의 역전이 가능합니다. 사용자는 연봉을 더 주고라도 나의 전문성을 활용하고 싶어 합니다. 즉, 비용을 통해 갑의 입장에 서고 싶어 하는 것입니다. 그러나 저에게 비용은 그다지 매력적이지 않기 때문에 오히려 비용을 낮추면서 내가 원하는 부분을 요구할 수 있게 됩니다. 사실상 사용자가 가지고 있는 무기가 연봉 이외에는 그다지 없기 때문입니다.

좋아하는 일을 오래 하는 방법

여기까지 조기 은퇴를 결심하고 세미 리타이어먼트를 하기까지 제가 걸어온 과정입니다. 시스템이 완벽히 갖추어진 기업, 예를 들면 대기업 같은 곳에서 직장인이 저와 같은 시도를 하는 것이 조금 어려운 일이 될 수도 있습니다. 그러나 하나의 분야라고 하더라도 세상에는 생각보다 많은 종류의 직업적인 유형이 있고 코로나 팬데믹 이후 재택근무가 중요한 직장 선택의 조건이 된 것처럼 세상은 변하고 또 변합니다.

제가 저의 경험을 통해 말하고자 하는 것은 사실 은퇴가 아니라 직업적 선택의 자유와 다양성 그리고 갑을 관계의 헤게모니를 전복할 수 있는 개인의 경제적 기반입니다.

어릴 때는 "돈보다 일을 좋아해야 한다. 그러면 돈은 자연스럽게 따라온다."라는 말을 정말 많이 듣고 그렇게 믿었던 것 같습니다. 물론 사업가나 자영업자라면 어느 정도 수긍이 되는 말일 수도 있지만 직장인이라면 이 말을 순수하게만 받아들여서는 안됩니다. 왜냐하면 이 말의 이면에는 자본주의 시스템에서 노동자를 쉽게 움직이고 싶어 하는 사용자의 저의가 숨어있기 때문입니다.

우리 사회는 여전히 돈에 대해 이야기하는 것을 천박한 것이라고 터부시하는 경향이 사라지지 않았습니다. 그러나 나를 책임질 수 있을 정도의 경제적 시스템을 만들어 놓으면 내가 사랑하는 일을 아주 오랫동안 행복하게 할 수 있다는 점은 제가 경험적으로 보증할 수 있습니다. 그리고 그것이 이 책에서 제가 말하고자 하는 경제적 자유입니다.

02

부자가 될 것인가 경제적 자유를 얻을 것인가

"여러분은 부자가 되고 싶은가요? 경제적 자유를 얻고 싶은가요?" 혹은 두 개의 물음이 별 차이가 없는 말이라고 생각하나요?

많은 사람들이 부자가 되고 싶어 하기도 하고, 또 한편으로는 경제적 자유를 얻고 싶어 하지만 대부분의 사람들이 막연히 '부자가 되면 경제적 자유를 얻을 수 있겠지'라고 생각합니다. 그러나 부자가 되는 것과 경제적 자유를 얻는 것은 매우 큰 차이가 있습니다. 누구나 인정할 수 있는 부자라고 하더라도 경제적으로 자유롭지 못할 수 있고, 부자의 기준에 크게 못 미치는 자산을 가진 사람이라도 경제적 자유를 얻을 수 있습니다. 중요한 것은 이 두 가지의 차이를 분명히 이해하고 스스로 어떤 목표를 가지고 살지 선택하는 것에 따라 인생의 방향이 크게 달라질 수 있다는 점입니다.

당신은 부자인가요?

누군가 저에게 "당신은 부자인가요?"라고 물어본다면 저는 아니라고 대답할 것 같습니다. 스스로 부자라고 생각하지도 않을 뿐만 아니라 객관적으로도 부자의 기준에는 미치지 못할 것 같기 때문입니다.

하나금융경영연구소에서 2023년 4월에 발간한 '2022 Korean Wealth Report'를 인용하면, 우리나라의 부자들이 실제 보유하고 있는 총자산 규모의 평균은 77억 8천만 원이고, 대중 부유층의 총자산 평균은 14억 8천만 원이라는 통계가 있습니다. 또 다른 보고서인 KB금융지주 경영연구소의 '2022 한국 부자 보고서'에는 '한국에서 부자라면 얼마 정도의 자산을 가지고 있어야 할까요?'라는 질문에 대해 금융 자산과 부동산 등 모든 자산을 포함하여 '총자산 100억 원 이상'은 있어야 부자라고 생각한다는 답변이 가장 높은 비율을 차지했습니다. 저의 자산은 보고서에서 정의한 대중 부유층 평균보다는 확실히 높지만 지표상으로나 일반적인 인식 기준으로도 부자의 축에 들어가기에는 한참 못 미치는 수준입니다.

당신은 경제적 자유를 얻었나요?

반면에 누군가 저에게 경제적 자유를 얻었냐고 물어본다면 저는 그렇다고 대답할 것 같습니다. 그 이유는 제가 현재와 미래의 경제적인 상황에 대해서 거의 걱정을 하지 않고 살아가고 있기 때문입니다. 여전히 더 많은 자본 소득에 관심이 있고, 더 많은 투자에 관심이 있으며, 전문인으로서 내가 일한 부분에 대해서는 능력에 맞는 온당한 경제적 대가를 받아야 한다고도 생각합니다. 그러나 경제적인 부분에 대한 걱정이 제 삶에서 사라진 시기는 꽤 오래되었습니다. 왜냐하면 7~8년 전으로 거슬러 올라가 생각해 봐도 이런 추세로 꾸준히 나아가면 자본 소득으로 충분히 살아갈 수 있겠다는 생각이 들기 시작했기 때문입니다. 그래서 직장이라는 것을 대하는 자세와 사람들에 대한 태도도 점점 더 여유로워지게 된 것 같습니다.

사실 경제적 자유를 얻는 것의 가장 중요한 지점은 내가 어떤 일을 선택하는 데 있어서 그 일의 경제적인 대가를 선택의 최우선 기준으로 두느냐, 아니면 다른 가치에 더 비중을 둘 수 있느냐의 차이입니다. 저는 글을 쓰는 현재 시점에도 여전히 회사 생활을 하고 있지만 회사에 다니던 중에 스스로 연봉을 60%로 삭감했습니다. 그 이유는 글을 쓰는데 시간을 좀 투자해 보고 싶어서 였습니다. 그렇다고 당장 회사를 그만둬야 할 이유도 없었습니다. 저를 매우 필요로 하는 사람들이 여전히 회사에 있었고, 저 역시도 그들 옆에서 필요한 도움을 주고 싶었기 때문입니다. 40대 이후 저의 가장 큰 관심사는 은퇴 자체가 아니라, '앞으로 어떤 일을 하면서 살면 좋을까?' 였습니다. 그중 하나가 글쓰기였고 제가 글을 쓰기 시작한 것도 그때부터였습니다.

맥시멀하게 살 것인가 미니멀하게 살 것인가

제 주변을 돌아보면 강남 아파트 한 채만으로도 수십억 원의 자산이 되지만 여전히 힘든 삶을 토로하는 경우가 많이 있습니다. 가끔 그들에게 고가의 강남 아파트를 처분하고 학군도 적당히 괜찮은 곳으로 이사해서 나머지 돈으로 자본 소득을 조금이라도 만들면 삶이 좀 더 수월해지지 않겠냐고 조언해도 그들은 절대로 강남을 벗어날 수 없다고 말합니다. 가령 분당 같은 곳도 비교적 학군이 좋다고는 하지만 대치동 학군과는 기본적인 레벨이 하늘과 땅 차이라는 이유에서 입니다.

평생 모은 전 재산(물론 부모님의 도움을 받았을 가능성이 높지만)은 강남 아파트에 묶여 있고 아무리 맞벌이로 돈을 벌어도 자녀들 학원비, 해외 연수비 등으로 큰돈이 나가기도 합니다. 또 어떤 경우에는 한 달에 서너 번씩 필드에 나가 골프를 치거나, 외제차를 두세 대씩 굴리는 경우도 있습니다. 그런 호화로운 생활을 유지하려고 하니 아무리 돈을 벌어도 항상 부족하다는 생각만 들게 되고 일을 멈춘다는 것은 불가능한 얘기가 됩니다. 겉으로 보이는 씀씀이로만 판단하면 대단히 부유해 보이지만 속을 들여다보면 빚만 잔뜩 쌓여 있는 경우도 허다합니다.

부자는 결국 사회적인 비교를 통해서 상대적으로 확인이 됩니다. 절대적인 부자라는 것도 물론 있지만 사회 안에서 그 사람이 가지고 있는 부의 수준이 상대적으로 얼마나 되는가에 따라 부의 기준이 정해집니다. 내가 가지고 있는 자산이 이 사회에서 0.1% 안에 드는 사람이 있다면 본인이 아니라고 거부해도 부자가 맞습니다. 강남에 40억 원 가치의 아파트를 대출 없이 소유하고 있다면 그 사람도 부자라는 사회적 기준에 들어갈 수 있습니다. 그러나 경제적 자유를 얻기 위해서는 남과 상관없이 나에 대해서 좀 더 잘 알아야 합니다. 내가 살아가는데 어느 정도의 소득이 있어야 스스로 원하는 삶을 돈에 구애 받지 않고 선택할 수 있는가에 대한 질문에 스스로 답을 할 수 있어야 합니다.

어느 가난한 철학자가 무일푼으로도 스스로 자유를 느낄 수 있다면 그는 경제적으로도 자유롭다고 할 수 있습니다. 누군가는 한 달에 백만 원의 자본 소득으로도 경제적인 자유를 얻을 수 있고, 누군가는 백억 원의 자산을 가지고 있어도 경제적인 자유를 얻지 못합니다.

중요한 것은 삶을 대하는 태도

경제적 자유를 얻는 것은 결국 삶에 대한 태도를 얻는 것이고, 경제적 자유를 추구한다는 것은 그 태도를 얻기 위한 과정입니다. 부자가 되는 목표를 가질 것인지 경제적 자유를 얻을 것인지에 따라 삶의 과정과 태도는 많이 달라질 수 있습니다. 부자라는 미래의 목표만을 위해 고통스러운 현재를 감내하며 모든 고통을 미래에 보상받을 수 있다는 생각으로 사는 젊은이가 있다면 미래에 부자라는 기준에 들어가더라도 삶의 습관과 태도는 변하지 않습니다. 그 과정에서 잃게 되는 인간적인 면모들이 부자의 기준에 들어갔을 때 채워질 것이라고 기대하기는 어렵습니다. 현재가 행복하지 않은데 경제적인 부분만 충족된다고 미래가 행복해지지는 않습니다.

절대적인 부를 쫓는 것이 아니라 내가 살고 싶은 삶이 어떤 것이고 그것을 위해 내가 가져야 할 경제력이 어느 정도인지 끊임없이 고민하고 답을 찾아가야 합니다. 그리고 그 과정 자체가 행복하지 않다면 그 과정조차 옳은 것인지 다시 한번 돌아봐야 합니다.

'미래를 위해 현재의 삶을 포기할 것인가?' 혹은 '현재를 마음껏 즐기며 미래를 포기할 것인가?'라는 질문을 받는다면 어떤 대답을 할 수 있을까요?

제가 생각하는 답은 적어도 행복이라는 기준에서는 현재도 포기해서는 안 되고 미래도 포기해서는 안 된다는 것입니다. 미래를 위해 현재의 소비는 포기해도 되지만 현재의 행복까지 포기해서는 안 됩니다.

부자가 될 것인가 경제적 자유를 얻을 것인가

부자의 길만 쫓다 보면 숨이 턱 막히는 가혹한 현실의 벽에 한계를 느낄 수 있지만, 경제적 자유의 기준은 자기 내면과의 대화와 타협을 통해 결정하는 것입니다. 경제적 자유를 얻는 것은 자신이 어떤 삶의 태도를 가지고 어떤 어른으로 성장할 것인가에 대해 고민해 나가는 과정과도 같습니다. 남들과 비교하여 자신의 처지를 평가하는 삶의 태도만 가지지 않는다면 충분히 행복하게 아끼며 자산을 모으고 미래를 대비할 수 있습니다.

저는 오로지 저에게만 주어진 경제적 혜택이 있다면 10원이라도 아끼고 챙기는 편이지만 상대적인 약자에게 돌아갈 수 있는 혜택을 나누어야 한다면 그것에 조금도 집착하지 않습니다. 제가 오래전부터 경제적 자유를 얻고 싶었던 이유가 바로 이런 마음의 여유를 가지고 싶었기 때문입니다. 그리고 그런 여유의 눈으로 세상을 볼 수 있는 어른이 되고 싶었습니다. 경제적 자유를 얻고 싶다면 '그것이 나에게 어떤 의미가 있는 것인지', '나에게 경제적 자유의 기준은 무엇인지' 그리고 '경제적 자유에 도달한 이후 나는 어떤 삶을 살 것인지'에 대해 늘 고민하고 생각하며 살아야 합니다. 만일 부자가 되고 싶다면 '나는 왜 부자가 되고 싶은 것인지', '나에게 부자의 기준은 무엇인지' 치열하게 고민하면서 사는 것이 필요합니다.

"여러분은 부자가 되고 싶은가요? 경제적 자유를 얻고 싶은가

요?" 혹시 아직도 두 개의 물음이 별 차이가 없는 말이라고 생각
되나요?

03
파이어족이 되기 위해 필요한 조건

경제적 자유를 얘기할 때 늘 함께 언급되는 것이 파이어족(FIRE, Financial Independence, Retire Early)이라는 개념입니다. 파이어족이 요즘 세대의 관심사라는 기사를 종종 보기도 하지만 사실 우리나라에서 경제적 자유라는 말이 유행하기 시작한 것은 약 20년은 되었습니다. 90년대 말에 IMF를 겪고 평생직장이라는 개념이 사라지면서 경제적 자유를 얻고자 하는 10억 만들기 붐이 일었던 게 그 즈음이었던 것 같습니다.

요즘 말하는 파이어족은 30대 말이나 늦어도 40대 초반까지는 조기 은퇴하겠다는 목표로 회사 생활을 하고 20대부터 소비를 극단적으로 줄이며 은퇴 자금을 마련하는 이들을 가리킵니다. 2008년 금융위기 이후 미국의 젊은 고학력·고소득 계층을 중심으로 확산되었고, 이들은 '조기 퇴사'를 목표로 수입의 70~80%를 넘는 액수를 저축하는 등 극단적 절약을 실천하는 사람들입니다.

한번은 30대 초반의 여성들이 둘러앉아 파이어족에 대해 얘기하는 걸 들은 적이 있습니다. 얼마가 있으면 회사 안 다녀도 되냐고 서로 얘기하고 있었고, 그중 한 명이 자신은 만약에 30억 원의 돈이 있다고 해도 불안해서 파이어는 못할 것 같다고 얘기하더군요.
'30억 원이 있는데 왜 파이어를 못하지?'라는 생각에 경제적 자유를 위한 자산 규모가 얼마일지 한번 계산해 봤습니다.

파이어를 위한 조건

저에게 경제적 자유라는 것의 의미는 생계유지를 위한 기본적인 소득은 만들어 놓고, 누군가 나를 필요로 하거나 나 스스로 가치 있다고 생각되는 일이 있다면 돈에 구애 받지 않고 시도하고 싶다는 개념입니다. 그것을 위해서 경제적으로 필요한 조건을 늘 계산하고 살았습니다. 파이어족이라는 개념도 결국 제가 생각한 경제적 자유의 조건과 크게 다르지는 않습니다.

제가 생각하는 경제적 자유를 얻기 위한 조건은 3가지입니다.

1. 평생 주거 문제가 해결되어야 할 것

2. 노동 없이도 꾸준한 소득이 있어야 할 것

3. 지출이 2번의 소득 내에 있어야 할 것

　앞서 얘기한 30억 원으로 계산하면 서울, 수도권에서 좋은 아파트에 살아도 15억 원 정도면 주거 문제가 충분히 해결됩니다. 나머지 15억 원에 대해 수익률 4%를 적용하면 연 6천만 원, 월로 계산하면 한 달에 500만 원 정도의 소득이 발생합니다. 월 지출이 500만 원 이내에 있으면 경제적인 자유를 얻을 수 있다는 얘기인데 이 정도면 2~3인 가구도 충분히 파이어가 가능한 금액입니다.

파이어하기 불안한 이유

　'사람들이 왜 30억 원이 있어도 파이어를 못한다고 생각할까'라는 것에 답을 하자면 생각보다 많은 사람들이 자본에 대한 개념이 매우 부족하기 때문입니다. 놀랍게도 정말 많은 사람들이 나에게 30억 원이 있다면 죽을 때까지 30억 원을 계속 쓰고 살아야 한다고 생각하는 것 같습니다. 파이어가 되기 위해서는 사실 그렇게 계산해서는 안 된다는 것을 알만한 사람들은 이미 알고 있습니다. 주변에 경제 개념 없는 사람들이 자주 하는 말이 "죽을 때 돈 싸 들고 갈 것도 아닌데 왜 그렇게 돈 모으냐!"라는 이야기입니다. 부자가 되고자 하는 사람들이 돈을 모으는 건 그 돈을 다 쓰고 죽으려는 것이 아니라 돈이 다시 돈을 생산하는 자본주의의 구조를 깨달고 있기 때문에 살아 있는 동안 편하게 살고, 역설적이게도 돈에 속박되지 않는 선택의 자유를 얻기 위해서 돈을 모으는 것입니다. 이 문제를 단순하게 얘기하면 주거 문제가 완벽하게 해결된 상태라고 가정했을 때 (월 자본 소득 – 월 지출)이 전 생애에 걸쳐 흑자라면 이론적으로 누구나 파이어족이 될 수 있습니다.

1인 가구 기준 파이어 가능 수준

1인 가구를 기준으로 계산해 보면 주거비에 5억 원을 쓴다고 가정하고 월 지출이 150만 원 수준이라고 한다면 순자산 10억 원으로 충분히 파이어족이 될 수 있습니다. 주거비 외에 투자금 5억 원을 굴리면 보수적으로 계산해서 4%의 수익률을 적용해 연 2천만 원의 소득을 올릴 수 있고, 월 기준으로는 대략 160만 원 정도 자본 소득이 발생합니다. '주거비 + 투자금'이 10억 원 규모라면 물론 큰돈이기는 하지만 주거비와 지출을 줄이거나, 투자 수익률을 높이면 필요 자본은 내려가기 때문에 은퇴 전까지 불가능한 수준이 아닙니다.

평생 파이어족이 되기 위해서는 중요한 조건이 더 있습니다.

생애 지출이라는 개념으로 생각해 보면 사회 초년기부터 결혼 전까지는 경조사비, 유흥비, 문화생활비 등이 많이 들어가지만 결혼을 하고 나면 차량 구입비와 유지비, 자녀 육아비와 교육비가 꾸준히 발생하게 됩니다. 노년이 되어 자녀를 모두 출가 시키고 나면 의료비가 만만치 않게 지출됩니다. 그래서 자본 소득 금액이 물가 상승률을 반영하여 동시에 상승해야 한다는 중요한 조건이 생깁니다. 또한 지출 규모의 조절도 매우 중요합니다. 한창 돈 벌 때 월 소비 규모가 너무 커진 사람은 직장을 그만둬도 소비 수준을 낮추는 것이 쉽지 않습니다. 월 지출 500만 원이라고 한다면 수익률을 6% 정도로 높여서 잡아도 10억 원을 온전히 투자금으로 사용해야 연 6천만 원 소득, 월 500만 원의 소득을 얻을 수 있습니다. 그래서 파이어족이 되기 위해서는 생활 수준을 검소하게 유지하는 것도 중요합니다. 아니면 투자금이나 수익률을 엄청나게 높여야 하기 때문입니다.

다만 이러한 계산 또한 조기 은퇴를 고려한 파이어족의 개념이기 때문에 정년으로 은퇴하는 것을 가정하면 공적 연금이나 사적 연금 또는 자가 소유의 주택 보유 여부에 따라서 주택 연금 등을 활용하여 훨씬 수월하게 노후 생활비를 충당할 수 있습니다.

다양한 조기 은퇴의 종류와 필요 자금 규모

국내에서 조기 은퇴의 대명사처럼 파이어족이라는 용어가 한창 유행하고 있을 때에도 제가 가장 많이 언급해 왔던 조기 은퇴의 종류는 세미 리타이어(Semi-Retire) 혹은 세미 리타이어먼트(Semi-Retirement)였습니다. 물론 세미 리타이어라는 말을 제가 처음 만든 것은 아닙니다. 사전적으로는 정의되어 있던 개념이지만 파이어족이라는 용어가 워낙 유행하면서 특별히 주목받지는 못하고 있습니다.

제가 세미 리타이어라는 개념을 제 조기 은퇴의 가치로 삼기 시작한 것은 2019년도입니다.

두 번째 은퇴 시도로 회사를 그만두고 휴직한 아내와 함께 체코,

오스트리아, 헝가리 등을 여행하고 있을 때였습니다. 당시 오스트리아에서 다른 도시로 이동하기 위해 기차를 탔고, 그때 기차의 좌석이 서로 마주 보는 4인석이었습니다. 저희 부부 앞에는 50대 정도로 보이는 외국인 부부가 타고 있어 자연스럽게 그들과 대화를 하게 되었습니다. 영어가 짧은 저보다는 주로 아내가 대화를 이어갔지만 듣고 있던 저에게 매우 인상적이고 기억에 남았던 말이 있었습니다. 바로 그 외국인 부부가 세미 리타이어를 하고 세계 여행 중이라는 것이었습니다.

일찍부터 은퇴를 준비하고 있던 저는 항상 조기 은퇴라는 개념만을 생각해 왔지만 세미 리타이어야말로 제가 추구하는 조기 은퇴의 방향성에 가장 부합하는 용어가 될 수 있겠다는 생각이 들었습니다.

은퇴 자금 수준에 따른 파이어의 종류

파이어(FIRE, Financial Independence Retire Early)를 단순하게 해석하면 재정적으로 독립하여 일찍 은퇴하는 것을 말합니다. 이렇게 재정적 자립을 완성한 기준으로 파이어족을 3가지로 나누는 일반적으로 알려진 분류 기준이 있습니다.

1. 린 파이어 (Lean FIRE)

자산 규모 10억 원 미만으로 은퇴한 사람들을 말합니다. 이들은 절약할 수 있는 부분을 최대한 절약하면서 검소한 생활을 하는 파이어족이라고 할 수 있습니다.

10억 원 미만의 자산으로 돈보다는 시간의 완벽한 자유에 더 가치를 두고 은퇴한 사람들로서 조금 아끼고 살더라도 스트레스 안 받고 마음 편하게 사는 것을 추구하는 사람들입니다.

2. 노멀 파이어 (Normal FIRE)

자산 규모 10억 원에서 25억 원 수준으로 은퇴한 사람들을 말합니다. 가장 보통의 일반적인 파이어족에 해당하며, 쓸건 쓰고 아낄 건 아끼는 수준의 파이어족입니다.

10억 원 기준으로 봤을 때 연 4% 수익률로 연간 4,000만 원 정도의 소비를 하는 사람들입니다. 월 기준으로는 330만 원 정도를 소비할 수 있는 규모입니다.

3. 팻 파이어 (Fat FIRE)

자산 규모 25억 원 이상으로 은퇴한 사람들을 말합니다. 생활 수준을 충분히 유지하면서 풍족한 생활을 하는 파이어 족입니다.
25억 원 이상의 자산으로 연간 8,000만 원에서 1억 원 정도를 쓰면서 사는 것으로 월 기준으로는 660만 원에서 830만 원 정도를 소비하는 규모입니다.

은퇴에 필요한 정확한 자금

은퇴 자산만을 기준으로 분류한 일반적인 파이어족 유형에는 제가 중요하게 언급한 주거비 부분이 고려되지 않았다는 문제가 있습니다. 현실적으로는 투자 활동에 쓸 수 있는 자산 뿐만 아니라 거주를 위해 지불해야 하는 비용이 만만치 않기 때문입니다. 린 파이어(Lean FIRE)에 필요한 10억 원을 온전히 투자에 활용할 수 있다면 파이어가 가능하지만 가계 자산 중 부동산 비중이 80%가 넘는 우리나라의 경우 쉽게 달성하기 어려운 목표일 수도 있습니다. 다만 부동산을 투자 가치가 아닌 단순한 거주 가치로만 사용한다면 특별히 서울 수도권에 비싼 비용을 들여 집을 보유해야 할 이유가 사라집니다. 서울 수도권에 거주하는 가장 중요한 이유가 대부분 직장에 출퇴근하기 위한 목적이라고 한다면 완전한 은퇴를 가정하고 지방의 소도시에 내려가서 사는 경우를 가정하면 자산의 대부분을 투자에 활용하는 것도 불가능한 일은 아닙니다. 혹은 온전히 월세로 생활하면서 생활비에 주거비를 포함시키는 방법도 있습니다.

여기에 거주 비용 이외에도 각종 비용이 추가될 수 있습니다. 산술적으로는 10억 원의 4% 수익률로 간단하게 소비 가능 금액 산출이 가능하지만 실제로 10억 원 정도의 자산을 투자금으로 운용하게 되면 세금이나 각종 수수료가 생각하는 것보다 많이 불어납니다. 저의 경우도 직장 생활만 할 때는 생각해 보지 못했던 각종 합산 과세되는 소득세들과 부동산 중개 수수료, 재산세, 종합부동산세,

건강보험료, 금융투자소득세 등 다양한 세금과 수수료가 거의 두 달에 한 번꼴로 지출이 되고 한 달 생활비가 넘는 수준의 목돈이 나가는 시기도 있습니다.

일의 유형에 따른 파이어의 종류

은퇴라는 말이 대단히 달콤하게 느껴지지만 정년으로 은퇴를 한 고령자들도 일에 대한 갈증이 있게 마련입니다. 그래서 은퇴 자금만 가지고 파이어를 정의하는 것이 아니라 앞으로 어떻게 일하면서 살고 싶은지에 따라 구분하는 조기 은퇴의 유형도 있습니다. 단순히 자금 규모만을 목표로 하는 것보다 이런 목표가 훨씬 더 현실적이고 실현 가능성이 높습니다.

1. 미니 리타이어먼트 (Mini-Retirement)

미니 리타이어먼트는 일해서 돈을 모으고, 쉬면서 그 돈으로 생활하다가 필요할 때 다시 돈을 버는 사이클링 은퇴를 말합니다. 프리랜서이거나 프로젝트 단위의 일을 하는 등 자기 사업을 운영하는 경우가 해당합니다. 여기서 더 구분을 하자면 어느 정도의 자본을 갖추고 여유 있게 프리랜서 생활을 하는 경우와 자본 없이 생업으로 프리랜서 생활을 하는 경우로 나눌 수 있습니다.

저도 프리랜서 생활을 해봤고 회사에서 프리랜서를 고용해서 일해본 경험도 많이 있지만 자본 없이 이런 직업적 유형을 유지하는 경우는 소득 유지를 위해 직장 생활 이상으로 일해야 하는 경우가 생길 수도 있고, 자본이 있는 상태에서 프리랜서를 하는 경우에도 일에 대한 연속성이 떨어져서 게을러지거나 전문성이 점점 약해지는 단점이 있습니다. 그래서 이런 유형의 은퇴는 개인의 성향과 요구에 잘 맞아야 가능한 개념입니다.

2. 세미 리타이어먼트 (Semi-Retirement)

사전적으로는 퇴직 후 재고용에 의한 비상근 근무를 말합니다. 본업에서는 은퇴했지만 부수입을 통해 생활비를 충당하는 형태의 사이드 파이어(Side FIRE)나 퇴직 이후에도 아르바이트를 하면서 은퇴 비용을 충당하는 바리스타 파이어(Barista FIRE)도 세미 리타이어먼트에 포함되는 개념입니다. 대부분의 은퇴 자금을 마련해 두고 파트타임이나 업무 강도가 낮은 업무로 변경하여 모자란 자금을 천천히 여유 있게 모으거나 돈보다는 일 자체에 가치를 두고 생활하는 형태입니다.

세미 리타이어먼트는 현재의 저의 상태와 가장 가까운 개념입니다. 파이어(Normal FIRE) 할 수 있는 수준의 자산은 있지만 가치 있는 일을 그만두고 싶지 않아 일을 계속하고 있는 경우라고 할 수 있습니다.

어떻게 일할지 그리고 얼마가 필요할지

단순히 파이어족이 되고 싶다는 사회 분위기에 휩쓸리기보다는 자신이 원하는 일의 유형이 어떤 것인지 그리고 그것을 위해서 자신에게 필요한 자금 규모는 어느 정도인지 파악하고 공부해야 정확한 목표를 가지고 도전할 수 있습니다. 파이어족이 되고 싶다는 젊은이가 넘치는 사회 현상을 비판하는 부류의 사람들도 있지만 이것 또한 도전하고 노력하지 않으면 도달하기 어려운 목표이기 때문에 비판할 필요는 전혀 없다고 생각합니다.

우리가 살고 있는 현대 사회는 빠른 속도로 다변화되고 있기 때문에 이제는 과거 직장 생활의 형태를 지켜야 할 필요도 없고 다양한 조기 은퇴의 형태와 방법 중 각자 자신에게 맞는 방법을 찾아가는 것이 새로운 시대의 도전이 될 수 있습니다. 단순히 은퇴라는 이름이 아니라 전통적인 일과 삶의 형태를 앞으로 어떻게 바꾸어 나갈 것인지에 대한 고민이라면 이것도 충분히 가치 있는 성장과 발전의 개념이 될 수 있습니다.

경제적 자유의 기준은 무엇일까

　2023년 '신한라이프 상속증여연구소'에서 발행한 '재테크·투자 인식 조사 보고서'에서는 1500명의 인원을 대상으로 '경제적 자유를 누리기 위해 필요한 금액'에 대한 온라인 설문을 진행했습니다. 그 결과 경제적 자유를 누리기 위해 필요한 금액으로 10~19억 원을 답한 사람이 29.2%로 가장 많았고, 다음으로 많았던 답변은 20~29억 원으로 19.8%를 차지했습니다.

　경제적 자유에 대해서 얘기할 때 단순히 돈이 얼마가 있어야 하는지를 가지고 판단하기는 어려운 면이 있습니다. 사회적으로 '부자'라고 하는 것과 '경제적 자유'를 얻었다고 하는 것이 서로 상당한 관련성이 있기는 하지만 앞서 충분히 설명했듯이 동일한 개념은 아니기 때문입니다.

저는 20년간 가계부를 쓰고 매년 결산을 하고 있기 때문에 저의 자산 변동 상황이 엑셀 파일에 빼곡히 정리되어 있습니다. 이 중 지난 8년간의 그래프를 통해 소득과 지출 현황을 비교해 보겠습니다.

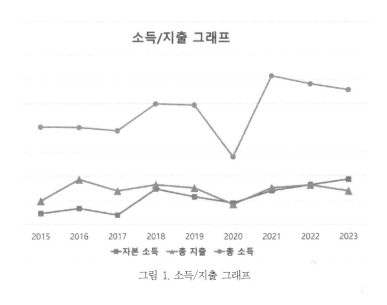

그림 1. 소득/지출 그래프

(그림 1)의 그래프에서 제일 위의 선(●)은 연간 총 소득(급여소득 + 임대소득 + 금융소득 + 기타소득)을 나타냅니다. 2015년부터 2019년까지 기간의 가운데에 있는 선(▲)은 일 년간 소비하는 총 지출이고 가장 아래의 선(■)은 급여 소득을 제외한 자본 소득, 흔히 파이프라인 소득이라고 말하는 것(임대소득 + 금융소득 + 기타소득) 입니다. 따라서 가장 위의 선과 가장 아래의 선 사이가 해당 연도의 저축액이 되고 매년 대략적으로 총 소득의 70% 정도

를 저축한다고 볼 수 있습니다.

총 소득이 들쭉날쭉한 이유는 2016년 이후부터 어느 정도 은퇴를 준비하고 있었기 때문이고, 특히 2019년부터 코로나 팬데믹 이전까지 약 2년 정도는 프리랜서 생활을 하며 여행을 다녔기 때문에 소득이 많이 줄었습니다. 2017년 까지는 주로 금융 투자를 통한 자본 소득을 만들어 왔고 2018년부터 임대업을 시작했습니다. 강남의 임대 수익률이 좋은 편은 아니어서 극적인 소득 상승은 없었지만 금리가 낮은 시기였기 때문에 전년도보다는 자본 소득이 꽤 늘어났습니다.

지출은 항상 비슷한 수준을 유지하기 위해 노력하는 편이지만 2019년까지도 전체 지출을 자본 소득으로 커버하기에는 살짝 부족한 수준입니다. 그러나 지출을 조금만 줄이면 충분히 커버가 가능하다 생각했고 자본 소득이 꾸준히 늘어날 것으로 예상했기 때문에 경제적인 부담이 상당히 줄어들게 되었습니다. 제가 생각하는 경제적 자유의 기준은 대략 이런 지점에 대한 것입니다.

2020년은 일 년에 반 정도만 프리랜서로 돈을 벌고 반 정도는 여행을 다녔기 때문에 소득이 많이 줄었지만 자본 소득과 지출이 거의 붙어 있어 크게 부담은 없었습니다. 2020년 중에는 코로나가 시작되어 여행을 다닐 수도 없었고, 다시 일을 좀 하고 싶다는 생각에 재취업을 해서 총 소득이 크게 늘어났지만 자본 소득이 이미 총 지출을 커버하는 구간에 진입했기 때문에 생계를 위한 취업이 아니었다는 점에서 과거의 취업과는 큰 차이가 있습니다.

2023년은 자본 소득만으로도 소득잉여자금이 생기게 되었다는 점에서 의미가 있고 자본 소득은 지속적으로 증가해 왔습니다.

지속 가능한 구조의 자금 관리

제가 주로 활용하는 통장은 급여 통장, 생활비 통장, 파킹 통장, 그 밖에 이십 년 동안 쓰다 말다 한 통장을 합쳐 삼사십 개는 될 것 같지만 현재는 몇 개의 저축 통장들만 사용하고 있습니다. 급여 통장은 급여가 잠깐 스쳐가는 곳이고, 파킹 통장에는 한 달 평균 생활비의 3배수 정도 되는 금액을 평균적으로 유지하는데 매달 급여 전체를 파킹 통장으로 이체하기 때문에 목돈이 쌓이면 예금을 하거나 투자를 고려하게 됩니다.

경제적 자유와 관련해서 가장 중요한 부분은 생활비 통장으로 모든 파이프라인 소득과 모든 지출이 관리된다는 점입니다. 수입은 매달 받는 임대료와 금융 소득 및 급여 이외의 기타 소득이 입금되고 지출은 카드 값, 통신비, 보험료, 세금, 현금 등의 모든 지출을 포함합니다. 이렇게 통장을 관리했을 때 생활비 통장이 마이너스 없이 정상적으로 작동하면 경제적 자유에 근접했다고 말할 수 있습니다. 수입 지출의 관리가 필요 없으면서 원금의 훼손이 없는 지속 가능한 시스템을 구축하기 위한 목적이라고 보면 됩니다. 직장을 다니든, 프리랜서를 하든, 알바를 하든, 생활비 통장에서 움직이는 돈 이외의 모든 수입은 저축이 되기 때문에 노동으로 버는 돈의 규모에 따라 속도의 차이가 있을 수 있지만 자산 자체는 계속 쌓일 수밖에 없습니다.

순자산 규모로는 경제적 자유를 말할 수 없다

순자산은 보통 거주하는 부동산을 포함하며 이는 보통의 가구가 가진 자산의 거의 전부인 경우가 많습니다. 거주하는 집이 20억 원인데 현재 가지고 있는 총자산이 집 한 채라면 열심히 노동을 해야 합니다. 그러나 8억 원 집에 거주하면서 나머지 12억 원을 매년 5%의 수익률로 운용하면 연 6,000만 원의 파이프라인 소득이 생기고 이를 기반으로 충분히 경제적 자유를 누릴 수 있습니다.

경제적 자유를 말하려면 실제로 투자에 활용할 수 있는 총 투자 자산의 규모가 얼마인지를 판단해야 하고, 본인의 소비 생활 패턴을 기준으로 평균적인 지출 규모를 따지는 것이 중요합니다. 일단 파이프라인 소득으로 지출을 커버할 수 있는 수준을 만들고 나머지 자금 규모 내에서 거주할 집을 구하는 방법도 있습니다. 자금이 충분하면 그만큼 좋은 집에 살고 자금이 부족하면 그만큼 작은 집에 살면 됩니다. 주거 환경의 가치를 무시하는 것이 아니라 경제적 자유를 최우선 목표로 두었을 경우에 그렇다는 이야기입니다. 그래서 경제적 자유를 얻기 위해 누군가는 매우 큰 금액이 필요할 수 있고 누군가는 생각보다 큰 금액이 필요하지 않을 수도 있습니다. 10억 원으로도 충분할 수도 있고 40억 원으로도 부족할 수도 있습니다.

지구 망하기 전에 돈 다 쓰자는 아내와의 대화

어느 날 뉴스 기사를 보던 아내가 전날 밤 서울 곳곳에 동양하루살이 떼 수만 마리가 습격을 했다는 기사를 저에게 보여줬습니다. 동양하루살이는 해충이 아니라 2급수 이상에 사는 깨끗한 곤충이라고 해서 특별히 걱정은 하지 않았지만 환경 문제로 예민한 요즘 같은 시기에 '곤충 떼의 습격'이라는 기사 제목만 봐도 왠지 걱정부터 되었던 게 사실입니다.

최근에는 이상 기후로 전 세계에 고온이 지속된다는 보도도 많은데 앞으로 지구의 평균 온도가 1.5도 상승하면 지금까지 경험하지 못한 극한 더위와 이상 기후가 찾아올 수 있고 그 시간은 5년도 채 남지 않았다고 합니다. 그래서 아내와 종종 하는 대화의 내용이 '이러다 10년 안에 지구가 망할 수도 있을 것 같다'라는 얘기입니다. 이런 저런 대화를 하던 아내가 "어차피 지구 망하면 쓰지도 못할 돈, 죽기 전에 다 쓰고 죽어야 하는 거 아니야?"라고 묻습니다. 그래서 아내와 이 부분에 대해 나눈 대화를 옮겨보려고 합니다.

죽을 때 어차피 가져가지도 못할 돈

죽을 때 가져가지도 못할 돈을 저는 왜 이렇게 열심히 모아 왔을까요? 아내와의 대화에서 서로 다른 생각의 차이를 엿볼 수 있습니다.

'아내'

"앞으로 10년이면 지구 망할 거 같은데 죽고 나면 가져가지도 못할 돈 지금이라도 다 써야 하는 거 아니야? 이렇게 열심히 일해서 모은 돈 다 못 쓰고 죽으면 너무 아깝지 않아?"

'나''

"투자금 10억 원이 있는데 10년 후에 지구가 망할 거라 믿고 일 년에 1억 원씩 쓴다고 가정하자. 그럼 10년이면 가지고 있는 원금을 다 쓸 수 있어. 그런데 만약에 10년 후에도 지구가 망하지 않고 그대로 있으면 그 뒤에는 어떻게 할 거야?"

'아내'
"그럼 다시 일해서 돈 벌어야지 뭐."

'나'
"10억 원을 계산하기 쉽게 연 수익률 6%로 계산하면 일 년에 6천만 원의 자본 수익이 생겨. 6천만 원을 12개월로 나누면 일을 하지 않아도 한 달에 500만 원의 수익을 얻을 수 있지. 그렇다고 한다면 나는 일 년에 1억 원씩 소비하며 살다가 늙고 힘들 때 다시 일하는 것보다는 한 달에 500만 원만 쓰면서 평생 편안하게 살고 싶어. 왜냐하면 10년 후의 나는 지금보다 몸도 약해져 있을 것 같고 일하기도 힘들어질 것 같거든. 나는 이렇게 살 테니 너는 벌어 놓은 돈 열심히 쓰다가 나이 들면 그때 또 일하도록 해. 그런데 나는 나이 들어서 그렇게 살고 싶지가 않아."

'아내'
"그래도 있는 돈 다 못 쓰고 죽으면 너무 아깝지 않아?"

'나'

"나에게 중요한 건 죽은 후엔 상관도 없을 10억 원이 아니라 사는 동안 나를 편하게 해줄 원금 10억 원이 만들어주는 월 500만원의 돈이야. 평생 그렇게 편안하게 살다가 죽을 때가 되어서 10억원을 다 못썼다고 아깝다고 생각하지는 않을 것 같아. 나에게 돈은 그 자체가 목적이 아니거든."

'아내'

"아~ 그럼 원금을 쓴다는 건 황금알을 낳는 거위의 배를 가르는 거네?"

'나'

"와~ 우리 와이프 똑똑하네?"

"근데 왜 내가 이 얘기를 예전에도 해준 것 같고, 왠지 내년에도 또 해줄 것 같다는 기분이 들지?"

'아내'

"응~ 기분 탓일 거야."

삶의 선택 문제일 뿐

가끔 인터넷 뉴스 기사 같은 곳에서 '어차피 죽을 때 돈 싸 짊어지고 갈 것도 아닌데...'로 시작하는 부자들을 향한 조롱의 댓글을 보곤 합니다. 그런 글을 볼 때마다 '이 사람은 자본주의의 구조와 생리에 대한 이해가 전혀 안 되어 있구나'라는 생각을 합니다. 물론 일상의 소중함에서 진정한 행복을 느끼고 돈 문제에 대해서는 초연한 마음을 가진 훌륭한 사람도 많이 있겠지만 그런 사람이라면 하찮은 인터넷 기사에 그런 한심한 댓글이나 달면서 인생을 낭비하고 있지는 않겠죠.

한 달 열심히 번 돈을 남김없이 소비하는 데서 행복감을 느낀다면 그것도 하나의 사는 방식이고, 스스로 평생을 그렇게 살겠다고 한들 타인의 입장에서 왈가왈부할 일은 아니라고 생각합니다. 그러나 사람이 일할 수 있는 나이에는 한계가 있게 마련이고, 누구나 언젠가는 죽겠지만 문제는 누구도 언제 죽을지 그 시기를 알 수 없다는 것입니다.

죽기 전에 돈을 실컷 써보고 싶다는 사람과 소소한 자본소득을 통해 죽는 날까지 스스로 자유롭게 살고 싶다는 사람 중 과연 누가 더 돈과 물질에 집착하는 사람일까요?

여러가지 관점에서 생각해 볼 수 있는 문제이지만 어떤 삶을 선택할지는 어차피 각자의 몫이고 선택에 대한 책임을 스스로 질 각오만 되어 있으면 충분합니다. 그러나 많은 사람들이 지금 소비해야 하는 당위에 대해서는 수없이 많은 이유와 변명들을 준비하고 있지만 정작 나이가 들고 재정적인 어려움이 현실화되었을 때에는 지나온 과거의 삶을 후회하거나 자신의 환경을 탓하는 것이 문제입니다.

Chapter 02

직장인 돈 모으기

Money

01

사회 초년기 마이너스에서 1억 원까지의 가계부

본격적으로 사회생활을 시작하면서부터 가계부를 쓰기 시작해서 현재도 변함없이 가계부를 쓰고 있습니다. 막막하게 혼자서 재테크를 하던 시절에는 남들이 얼마나 벌고 또 얼마나 저축하는지 궁금했지만 그때도 묵묵히 돈을 모을 수 있었던 것은 가계부라는 가시적인 도구를 사용했기 때문입니다. 가계부는 단기적인 재무 목표를 달성하기 위해서도 매우 유용한 도구이지만 어떤 면에서는 나라는 사람이 살아온 역사의 기록이라고도 할 수 있습니다. 지금도 10년 전의 가계부를 들여다보면 그때 무슨 일이 있었는지 생각해 볼 수 있는 앨범과도 같은 역할을 합니다.

만일 하루도 빼놓지 않고 20년 이상 가계부를 써온 사람이 있다면 분명히 20년 전과 비교해서 훨씬 더 나은 재정 상태에 있을 거라고 생각합니다.

저의 20년 가계부 중 사회 초년기의 가계부를 기반으로 마이너스이던 재정 상태에서 저축액 일억 원에 도달할 때까지의 과정을 구체적으로 설명해 보려고 합니다. 막연히 얼마를 모아야 한다는 말보다 제가 실제로 모은 금액을 수치적으로 공유하는 것이 더 크게 와닿을 거라는 생각 때문입니다.

재테크에 있어서 가장 상징적인 숫자는 일억 원이고 저의 첫 재무적인 목표도 일억 원이었습니다.

2004년 사회생활의 시작

2004년은 제가 본격적으로 사회생활을 시작한 해입니다.

2월에 대기업 입사를 확정한 상태였지만 벌어 놓았던 돈은 모두 떨어져서 경제적으로 상당히 어렵던 시절입니다. 너무 오래전 일이라서 사실 돈이 없었다는 것 이외에 정확한 가계부 수치의 의미는 기억이 나지 않습니다. 학생 시절 돈 없었던 얘기는 너무 길어서 쓰기가 좀 어려운데, 스무 살 때 다니던 대학을 자퇴하고 전공을 바꿔서 입시를 다시 하느라 2년을 소비하고, 군대 26개월, 대학원 2년까지 하다 보니 남들보다 사회 진출이 많이 늦어졌습니다.

대학부터 대학원까지 6년간의 학비는 두 학기를 제외하면 모두

장학금으로 다녔고 생활비는 학생 치고는 꽤 큰돈을 벌 수 있는 컴퓨터 기술을 공부해서 상당 부분 충당했습니다. 방학만 되면 집밖에 나가지 않고 3D 그래픽 툴을 공부해서 인테리어 그래픽이나 캐릭터 그래픽을 아르바이트로 해주던 시절이었습니다. 나중에는 이와 관련한 기술 서적도 한 권 쓰고, 그 돈으로 대학원까지 공부했으니 투자한 시간만큼의 ROI(Return On Investment)는 나왔다고 생각합니다.

살면서 부모님께 크게 손 벌린 적 없이 공부했지만 대학원 마칠 즈음 벌어 놓은 돈도 완전히 떨어져서 대학원 마지막 학기에 받은 학자금 융자 400만 원을 아버지가 갚아 주신 게 지금도 기억이 납니다. 집안 형편이 어려웠기 때문에 부모님이 대학원 진학을 많이 반대하셨지만 어차피 혼자 벌어서도 충분히 마칠 수 있다는 자신감이 있었기 때문에 크게 신경 쓰지 않고 대학원에 진학했는데 마지막에 신세를 지게 되어서 마음이 좋지 않았던 기억이 있습니다. 20년이 넘은 기억이지만 아직도 생각 나는 걸 보면 부모님께 꽤나 죄송했나 봅니다. 그렇게 평생 단 한 번 부모님께 경제적으로 신세를 지게 되었습니다.

사회생활 1년 차의 수입과 지출 그리고 저축

사회생활 1년 차에 저의 총 수입은 3,100만 원이었습니다. 가계부에는 은행에서 받은 이자 659원까지 꼼꼼하게 기록되어 있습니다. 당시에는 주머니에 있던 현금 1원까지 가계부에 쓰던 시절이었기 때문에 지금보다도 훨씬 더 정확한 수치가 기록되어 있습니다.

총 지출은 1,290만 원이었고 지출 항목 중 술값 등등 친구들이나 직장 동료들과 회식하거나 교제비로 썼던 비용도 17.2%를 차지하고 있습니다. 저는 지금도 상당히 술을 좋아하는 편인데 한동안 술값은 적지 않게 들었던 것 같습니다. 그 이유는 그때나 지금이나 온전히 나 자신에게 쓰는 돈은 철저하게 아꼈지만 절약한답시고 남들과 어울리는데 짠돌이처럼 굴고 싶지는 않았기 때문입니다.

"가난해도 나에게는 냉정하되 남들에게 그런 사람으로 보여서는 안 된다.", "어차피 써야 할 돈이라면 남들에게 티 나게 쓰자." 늘 이런 생각을 가지고 살았습니다.

이 해의 특별한 점은 보험료가 12.6%로 꽤 많이 나갔다는 점입니다. 제가 스스로 가입한 보험이 아니라 보험 설계하시는 고모님이 제 이름으로 가입해 두고 있던 보험을 취업 후 저에게 넘겼기 때문인데 나중에 이 보험은 손해를 감수하고 모두 해지해 버렸습니다.

보험은 잘못 가입하면 평생 족쇄가 될 수 있습니다. 재테크에서 가장 중요한 것 중 하나가 보험 설계에 대한 부분이며 소득의 5%

내외에서 설계하는 것이 일반적으로 알려져 있는 비율이지만 저는 그것도 많다고 생각합니다. 보험은 나에게 정확하게 맞는 최소한의 금액이 아니라면 가입하지 않는 것이 좋습니다.

사회생활 첫해의 저축률은 59.38%였고, 총 저축액은 1,890만 원이었습니다. 저의 저축 목표는 학생 시절부터 얼마를 벌든 소득의 70%였는데 사회생활 첫해에는 마이너스부터 시작하다 보니 빚을 갚느라 쉽지 않았던 시기입니다.

참여항목명	1월	2월	3월	4월	5월	6월	7월	8월	9월	10월	11월	12월	연간집계
근로소득	0	0	2,124,680	1,909,070	1,903,490	2,124,060	3,523,930	2,156,300	3,044,060	2,188,300	2,156,300	9,316,280	30,450,050
사업소득	0	0	0	0	0	0	0	0	0	0	0	0	0
금융소득	0	0	0	0	677	224	0	1,185	803	0	1,247	645	4,586
임대소득	0	0	0	0	0	0	0	0	0	0	0	0	0
기타소득	132,800	378,140	109,460	66,900	5,000	179,900	10,000	13,000	0	10,600	1,000	964,400
잡수입	0	0	0	0	0	500	28,000	400	501,000	2,000	10,900	541,900
수입 소계	132,800	378,140	2,234,340	1,975,870	1,909,367	2,303,764	3,561,930	2,172,803	3,545,60	2,158,300	2,179,547	3,317,989	31,901,935
식료용비	-247,300	-62,700	-102,400	-385,350	-206,150	-330,405	-288,250	-333,200	-255,630	-261,150	-245,310	-344,070	-2,991,615
주거비	0	0	0	-1,950	0	0	0	0	0	0	0	0	-1,950
광열수도비	0	0	0	0	0	0	0	0	0	0	0	0	0
생활용품비	-2,950	0	0	0	0	-42,500	-3,450	-1,160	-18,900	-28,500	-10,900	0	-111,300
의류비	-271,100	-21,000	-210,600	-23,060	-19,000	-14,500	-38,500	-62,800	0	0	-123,900	-24,880	-607,760
미용	0	-20,880	-5,000	-5,000	0	0	-1,640	0	-5,000	0	-5,000	-5,900	-47,720
육아	0	0	0	0	0	0	0	0	0	0	0	0	0
교육비	0	-15,900	0	0	0	0	0	0	0	0	0	0	-15,000
의료비	-10,500	-36,700	0	0	0	-92,090	0	-2,000	0	-5,000	0	-3,580	-149,790
문화생활비	-69,900	-138,000	0	-25,180	-25,480	-24,800	-31,500	-29,900	-151,300	-2,600	-3,709	-332,950	-825,230
교통비	-64,210	-58,190	-21,420	-67,410	-73,430	-63,070	-20,520	-69,190	-28,750	-47,490	-46,560	-43,390	-586,240
통신비	-56,700	-30,850	-57,650	-101,050	-64,760	-56,500	-56,500	-56,990	-71,250	-59,600	-59,520	-64,730	-748,480
세금/공과금	0	0	0	0	-140	0	0	-180	0	0	-190	0	-510
경조	0	0	0	0	0	-3,000	-500	0	0	0	-900	-500	-5,400
보험료	-136,224	-136,224	-136,224	-136,224	-136,224	-136,224	-136,224	-136,224	-136,224	-136,224	-136,224	-136,224	-1,634,688
경조사회비	-110,000	0	-19,000	-89,000	-165,000	-41,000	-53,000	-40,800	-146,900	-49,000	-23,000	-77,650	-804,950
용돈	0	0	0	-1,000,000	0	0	0	0	-1,000,000	0	0	0	-2,000,000
차량유지비	0	0	0	0	0	0	0	0	0	0	0	0	0
잡지출	0	0	-100,000	-619,500	0	0	-506,600	0	0	-1,000,000	0	0	-2,228,100
지출 소계	958,884	506,744	642,634	2,442,774	630,104	797,569	1,975,884	731,064	1,813,354	3,609,474	654,254	1,932,724	12,557,603
총계	-826,084	-128,604	1,591,656	-467,704	1,505,595	2,485,046	1,441,001	1,731,909	588,826	1,525,253	9,285,185	19,344,332
저축률	-622.03%	-34.01%	71.24%	-21.69%	63.90%	85.34%	69.77%	66.35%	44.84%	26.92%	69.95%	88.92%	

그림 2 사회생활 1년차 가계부

사회생활 2년 차의 수입과 지출 그리고 저축

해가 넘어가고 직장 생활 2년 차가 되었습니다. 회사가 워낙 바

쓰다 보니 야근을 너무 많이 해서 돈 쓸 시간도 거의 없었습니다. 그래서 어쩌다 시간적인 여유가 생기면 보복성 소비를 하던 친구들도 생각이 많이 납니다.

사회생활 2년차의 총 수입은 4,700만 원이었습니다.

사회생활 2년 차쯤 되면 입사한 남자 동기들 중 몇몇은 슬슬 차를 뽑을 준비를 했습니다. 사실 서울에 거주하면서 서울로 출퇴근을 하는데 차가 필요할 이유는 별로 없습니다. 서울처럼 대중교통이 잘 되어 있는 도시에서 자동차는 상당히 애물단지가 될 수도 있지만 이 유혹을 잘 이겨내지 못하는 것 같습니다. 차가 필요한 각종 이유를 생각해 내고 결국은 구입하게 됩니다. 그러나 사회 초년기 재테크의 가장 큰 적은 자동차입니다. 할부로 구입하게 되면 매달 지출되는 할부금 때문에 돈을 모으는 패턴이 흔들리게 되고 구입비뿐만 아니라 유지 비용이 많이 들기 때문에 직업적으로 필요한 게 아니라면 차량 구입은 최대한 늦추는 것이 좋습니다.

이 해의 수입 중 가장 중요한 건 7월에 받은 적금 이자 293,000원 입니다.

첫 사회생활과 함께 만든 적금의 일 년 만기 이자였는데 이때는 작은 시작이었지만 지금은 오로지 은행 이자로만 매달 백만 원이 넘는 돈을 받고 있습니다. 이때 29만 원의 적금 이자를 하찮게 생각했다면 지금의 경제적 자유는 얻지는 못했을 거라고 생각합니다. 사회 초년기 재테크의 가장 중요한 방법은 누가 뭐라고 해도 예금

과 적금입니다. 예금과 적금은 절대 깨서는 안된다는 원칙을 가져
야 합니다. 예적금을 깨는 유일한 이유는 더 높은 수익의 투자처로
갈아탈 때 뿐이어야 합니다.

상위항목명	1월	2월	3월	4월	5월	6월	7월	8월	9월	10월	11월	12월	연간결산
근로소득	3,798,060	14,241,430	2,300,140	2,333,820	2,180,420	2,068,712	3,828,990	2,179,150	3,326,210	2,962,140	2,443,433	2,088,600	43,769,105
사업소득	0	0	0	0	0	0	0	0	0	0	0	0	0
금융소득	0	1,474	1,561	0	1,973	1,512	293,000	0	0	0	2,891	701,069	1,003,310
실물소득	0	0	0	0	0	0	0	0	0	0	0	0	0
기타소득	10,000	30,000	0	0	0	0	10,000	0	0	0	0	0	50,000
잡수입	0	90,000	15,600	0	330	0	0	2,949,127	24,400	0	150	5,000	3,064,607
수입 소계	3,808,060	14,362,904	2,317,301	2,333,820	2,182,723	2,070,224	4,131,990	5,128,277	3,350,610	2,962,140	2,446,274	2,794,660	47,907,072
식품비	303,800	219,180	331,280	251,650	260,924	311,800	426,350	199,110	160,650	371,170	614,650	477,300	3,928,064
주거비	0	0	0	0	0	0	0	0	14,820	35,080	0	25,000	74,820
광열수도비	0	0	0	0	0	0	0	0	0	920	18,570	37,520	57,010
생활용품비	6,000	1,500	17,880	0	186,100	47,000	1,700	288,700	262,440	224,480	31,400	0	1,067,150
의류비	42,000	0	0	158,200	0	0	99,050	0	61,300	157,202	488,200	6,300	1,012,252
미용	10,000	0	5,900	0	0	0	0	7,000	7,000	48,000	17,000	13,000	107,000
육아	0	0	0	0	0	0	0	0	0	0	0	0	0
교육비	0	9,000	0	0	0	0	0	0	0	0	0	0	9,000
의료비	500,000	9,850	0	4,000	11,900	1,000	0	0	0	5,000	0	0	531,350
문화생활비	119,100	116,300	20,900	10,400	700	19,000	2,300	5,800	90,000	0	51,520	63,500	499,320
교통비	48,600	67,250	40,700	44,050	35,500	25,800	52,800	65,800	0	7,900	58,800	50,900	484,400
통신비	65,240	62,200	51,280	55,750	54,960	53,890	55,770	55,152	33,350	30,060	70,490	82,470	660,582
세금/공과금	0	230	0	0	290	0	0	110	0	0	400	0	1,030
금융	500	600	1,900	0	0	1,000	1,300	0	5,800	2,100	0	0	13,200
모임비	136,224	136,224	136,224	136,224	136,224	136,224	136,224	0	0	0	0	0	953,584
경조사비	81,000	237,500	114,000	42,000	42,000	64,000	10,000	58,600	18,000	530,600	10,100	87,300	1,275,100
용돈	0	1,000,000	0	0	0	0	0	0	0	0	0	0	1,000,000
저당유지비	0	0	0	0	0	0	0	0	0	0	0	0	0
잡지출	0	12,000	280,000	153,700	200,000	0	198,000	181,900	202,000	398,260	18,200	96,600	1,732,660
지출 소계	1,292,464	1,871,854	1,509,124	855,974	928,198	859,414	975,484	651,372	855,760	1,810,252	1,378,530	959,890	13,406,508
총계	2,513,596	12,491,079	1,303,177	1,477,846	1,254,523	1,410,810	3,156,486	4,376,905	2,495,250	1,151,888	1,968,744	1,874,690	34,500,519
저축률	66.04%	86.97%	58.45%	63.44%	58.15%	76.98%	63.38%	74.47%	29.30%	43.73%	87.08%		

그림 3. 사회생활 2년차 가계부

총 지출은 1,300만 원이었고, 이 해의 총 저축률은 72%입니다.
총 저축액은 3,450만 원이 되었습니다. 이 해부터는 매달 70%의 저
축률을 유지했으나 11월에는 43% 밖에 저축을 하지 못한 기록도
있습니다. 가계부를 쓰면 이렇게 평균을 초과하는 지출의 기록이
남기 때문에 다음에 지출을 통제하게 되는 효과가 있습니다. 재테
크에 있어서 가계부의 중요성은 단순히 기록이라는 것 뿐만 아니라
지출에 대한 정확한 인지를 가능하게 한다는 점입니다. 큰 지출을
할 때는 다음부터 아끼겠다고 생각할 수 있지만 며칠만 지나면 잊
어버리는 것이 사람이기 때문에 가계부에 기록을 남기고 자주 들여

다보는 습관이 매우 중요합니다.

이때까지의 총 누적 자산은 5,340만 원이었기 때문에 산술적으로 2년 안에 1억 원을 모을 수 있다는 계산이 나옵니다. 가계부를 쓰면 이렇게 돈이 모이는 것을 눈으로 확인할 수 있기 때문에 더 강한 목표의식이 생기는 효과가 있습니다.

사회생활 3년 차의 수입과 지출 그리고 저축

사회생활 3년 차에는 부모님으로부터 독립해서 회사 가까운 곳에 혼자 살기 시작했습니다. 부모님이 서울 외곽에서 경기도로 이사를 결정하면서 자연스럽게 독립하게 되었고 직장 생활 2년간 모은 돈과 회사에서 지원해 주는 좋은 조건의 전세 자금 대출을 받아서 마포구 서교동에 전세 5,000만 원의 원룸을 구해서 이사했습니다.

사회생활 초기에 돈을 모으기 위해서는 가능한 부모님과 함께 사는 것을 대부분 추천하지만 저는 일찍 독립하는 것이 좋다고 생각합니다. 부모님과 함께 살면 경제적인 독립 의지가 약해지고 개인적인 소비에 치중하게 되는 경향이 생길 수 있습니다. 또한 독립해서 살아 봐야만 알 수 있는 성인으로서의 많은 지식이 쌓이지 않는 부분도 있습니다. 무엇보다 사회생활 초기에는 직장에서 경력을 쌓고 업무적으로 많은 것을 배우고 성장하는 것이 매우 중요한데 출퇴근에 소모되는 시간이 너무 많다면 효율적으로 일하기가 어렵습니다.

저는 지하철과 도보를 포함해서 무조건 20분 이내에 회사에 도착해야 한다는 원칙으로 집을 구해서 야근에 대한 부담도 줄어들었고 좀 더 회사 업무에 집중할 수 있었습니다.

직장 생활 3년 차의 총 수입은 5,100만 원이었습니다.
사원에서 대리 급으로 진급하면서 연봉 인상이 있었고 이전 해에 비해 아주 조금 금융 소득이 늘었습니다. 직장 생활 초기 몇 년 간은 야근비로 한 달 생활비 상당 부분을 충당할 정도로 야근을 정말 많이 했습니다. 야근을 안 하는 날이 거의 없었고 주말에 출근하는 일도 심심치 않게 있었기 때문에 소득이 늘어난 부분도 있습니다. 직장 생활 초기에는 급여 이외에 수입을 만드는 것이 어렵고 직장에서 많은 것을 배워야 하는 시기이므로 더 많이 일하고 더 많이 배워야 합니다.

총 지출은 1,670만 원으로 월평균 140만 원 정도입니다. 직전 해에 비해 연간 300만 원 넘게 지출이 늘었는데, 이 해에는 독립으로 인한 주거비가 발생하기 시작했고 잡지출이 꽤 많이 늘었기 때문입니다. 그리고 경조사비도 많이 생겼습니다. 그 이유는 당시의 직장 문화가 한몫 했는데 요즘의 정서로는 이해하기 어려울 수 있지만 회사에 경조사가 발생하면 전 부서가 돈을 걷은 문화가 있었고 진급을 하면 거쳐가야 하는 회식의 관문도 있었습니다. 직급별로 돌아가면서 사비를 털어 회식 턱을 공식적으로 내야 하는 행사도 있었습니다. 지금은 이런 문화들이 사라지고 있어 정말 다행이라고 생각합니다.

상위항목명	1월	2월	3월	4월	5월	6월	7월	8월	9월	10월	11월	12월	연간합산
근로소득	18,476,129	1,920,000	3,217,170	2,305,480	2,965,041	2,757,162	4,291,840	2,387,440	3,830,420	2,373,580	2,861,672	2,483,210	49,869,124
사업소득	0	0	0	0	0	0	0	0	0	0	0	0	0
금융소득	6	187,786	406	126	1,700	201	1,298,085	1,794	466	0	1,728	184	1,500,484
임대소득	0	0	0	0	0	0	0	0	0	0	0	0	0
기타소득	0	0	0	0	0	0	0	0	0	0	0	0	0
잡수입	0	0	3,350	0	0	0	0	0	0	15,000	0	0	18,350
수입 소계	18,476,135	2,117,786	3,220,926	2,305,606	2,966,741	2,757,363	5,587,925	2,389,234	3,830,886	2,388,580	2,863,400	2,483,394	51,387,958
식료품비	261,850	174,780	330,780	382,370	507,350	538,406	417,110	246,880	287,160	305,930	266,970	305,500	4,005,038
주거비	30,000	30,000	0	0	30,000	0	0	0	30,000	210,000	30,000	30,000	390,000
광열수도비	85,940	48,920	48,050	33,530	25,690	18,540	16,070	19,490	14,850	12,390	15,070	21,930	361,560
생활용품비	19,900	35,830	69,900	7,800	0	3,300	45,860	8,000	19,790	71,800	56,500	127,850	466,230
의류비	0	9,800	406,580	14,400	7,000	156,204	54,000	0	0	0	94,000	68,000	809,984
미용	9,900	5,000	0	17,800	13,000	0	0	18,000	0	36,050	13,400	10,000	123,150
육아	0	0	0	0	0	0	0	0	0	0	0	0	0
교육비	0	0	0	93,000	104,000	0	0	0	0	0	0	0	197,000
의료비	3,000	0	0	6,000	0	0	2,500	0	15,000	0	11,000	6,900	44,403
문화생활비	330,355	187,460	139,800	72,500	39,400	190,800	124,000	360,990	116,800	8,000	16,000	102,000	1,687,105
교통비	39,900	30,800	91,600	68,400	113,100	34,700	68,200	81,890	42,120	68,300	51,500	38,100	728,210
통신비	134,590	52,790	44,980	55,140	77,410	0	80,090	71,720	74,570	85,660	59,920	56,470	773,520
세금과과금	0	240	0	1,300	250	0	0	6,270	0	0	260	0	8,320
금융	0	0	115,060	127,390	123,280	127,390	84,930	800	0	0	0	0	576,850
보험료	0	0	0	0	0	0	0	64,000	64,000	64,000	64,000	64,000	320,000
경조사회비	68,827	156,000	551,500	225,000	117,500	250,974	118,400	108,200	60,000	130,000	175,864	226,700	2,168,065
용돈	1,000,000	0	0	0	0	0	0	0	0	500,000	0	0	1,500,000
차량유지비	0	0	0	0	0	0	0	0	0	0	0	0	0
잡지출	65,200	210,900	190,000	173,930	164,450	224,433	303,050	301,210	324,200	170,600	264,900	180,200	2,572,073
지출 소계	2,049,462	941,396	1,969,110	1,258,560	1,322,430	1,543,646	1,295,816	1,207,220	1,847,590	1,662,530	1,119,384	1,238,650	16,755,385
총계	16,426,673	1,176,398	1,231,816	1,047,046	1,644,311	1,213,714	4,292,715	1,102,014	2,783,196	725,926	1,744,016	1,244,744	34,632,573
저축률	88.91%	55.56%	38.24%	45.61%	55.42%	44.02%	76.82%	46.12%	72.65%	30.39%	60.91%	50.12%	

그림 4. 사회생활 3년차 가계부

이렇게 첫 사회생활을 시작해서 직장 생활 2년 8개월 간의 누적 자산은 88,077,421원이 되었습니다.

사회생활 4년 차, 1억 원의 의미

사회생활 4년 차가 되던 해 2월에 누적된 저축액이 109,392,720 원으로 1억 원을 넘어섰습니다. 첫 급여를 받은 이후 총 36개월, 정확히 3년 만에 빚으로 시작한 인생에서 1억 원의 나름 청년 자 산가가 되었습니다.

재테크에서 1억 원이 주는 의미는 상당히 큽니다. 사회생활 시작하면서 받는 급여가 몇 백만 원 수준이기 때문에 아무리 아껴도 이 돈을 모아서 1억 원이라는 큰돈이 될 것 같지 않다는 의심을 할 수도 있지만 작은 꾸준함이 모여 시간이 지나면 큰 차이를 만들게 됩니다.

상위항목명	1월	2월	3월	4월	5월	6월	7월	8월	9월	10월	11월	12월	연간결산
근로소득	4,232,000	18,605,400	3,853,622	2,360,870	2,511,030	2,540,790	4,490,430	2,416,170	3,897,010	2,354,280	2,217,680	2,301,680	51,780,872
사업소득	0	0	0	0	0	0	0	0	0	0	0	0	0
금융소득	639	1,026,170	160	0	70,711	43	21,232	502,989	1,103,986	64,479	78,589	64,515	2,963,433
임대소득	0	0	0	0	0	0	0	0	0	0	0	0	0
기타소득	419,000	0	0	0	0	0	10,500	0	0	0	0	0	429,000
잡수입	0	2100	0	0	0	0	0	0	0	14,950	0	0	17,050
수입 소계	4,651,639	19,633,670	3,853,782	2,360,870	2,581,741	2,540,743	4,521,662	2,919,675	5,800,996	2,463,709	2,296,269	2,366,195	55,193,255
식료품비	230,490	284,180	339,380	300,840	254,740	259,750	265,820	286,220	304,940	291,390	237,280	158,350	3,213,990
주거비	30,000	30,000	30,000	30,000	30,000	30,000	30,000	30,000	30,000	130,000	130,000	130,000	660,000
광열수도비	41,150	50,980	35,430	29,360	24,060	21,480	19,580	18,700	17,640	16,480	20,090	33,120	328,060
생활용품비	25,300	370,000	90,000	7,800	0	4,000	6,100	77,400	53,190	919,380	1,000	1,500	1,555,580
의류비	9,800	0	6,400	2,000	41,800	15,000	38,700	0	143,100	0	2,000	76,100	334,900
미용	8,100	18,000	14,000	0	6,000	8,000	0	20,500	0	8,000	3,400	21,800	107,800
육아	0	0	0	0	0	0	0	0	0	0	0	0	0
교육비	0	0	0	0	0	0	0	0	0	18,000	0	0	18,000
의료비	14,800	5930	8,000	2,000	4500	5,500	0	0	0	0	3,000	641,400	680,900
문화생활비	37,000	22,000	127,230	26,000	21,500	81,800	34,292	17,000	95,400	41,000	71,421	183,480	758,123
교통비	49,000	53,700	78,000	67,400	60,800	56,700	58,600	58,900	54,300	92,600	83,300	767,960	
통신비	127,020	68,900	87,900	67,830	36,340	55,170	60,320	63,150	46,700	104,080	64,940	46,213	833,963
세금/공과금	0	130	0	0	15,050	0	0	8,810	0	14,520	12,080	9,920	60,510
경조	0	3200	0	0	0	0	0	0	0	136,290	218,450	231,780	589,780
보험료	64,000	64,000	64,000	64,000	64,000	64,000	64,000	64,000	64,000	64,000	64,000	64,000	768,000
영화/사회비	227,100	47,300	420,750	124,100	183,800	10,000	212,800	40,000	92,550	15,000	0	269,190	1,642,540
용돈	50,000	742,000	0	0	100,000	0	0	509,700	0	0	0	0	1,401,700
사망지비	0	0	0	0	0	0	0	0	0	0	0	0	0
잡지출	191,300	105,000	84,600	151,700	143,500	124,850	116,870	192,200	107,700	180,300	93,050	159,710	1,651,680
지출 소계	1,104,220	1,885,790	1,380,875	864,030	992,490	740,350	963,872	872,580	1,025,089	1,912,331	1,043,191	2,083,201	15,371,519
총계	3,547,419	17,767,880	2,473,112	1,496,840	1,589,251	1,800,393	3,618,680	2,041,495	4,470,318	479,903	1,262,936	356,332	39,919,419
저축율	76.26%	90.50%	64.17%	63.40%	61.55%	70.86%	79.90%	69.94%	80.49%	19.12%	55.87%	10.83%	79.13%

그림 5. 사회생활 4년차 가계부

1억 원이라는 돈을 연 5% 이자로 계산하면 1년에 500만 원의 자본 소득을 만들어 낼 수 있는 금액입니다. 또 다른 큰 의미는 부동산에 투자할 수 있을 정도의 종자돈이 되었다는 점입니다. 현재도 1억 원의 종자돈이면 전국에 갭으로 투자할 수 있는 부동산이 많을 정도로 1억 원은 생각보다 큰 금액입니다. 그래서 1억 원이라는 상징적인 돈을 빨리 모으는 것이 재테크에서 매우 중요하며 이 경험은 어리면 어릴수록 좋습니다. 재테크에서 가장 중요한 것은 시간이기 때문입니다.

사회 초년기에 경계할 부분이 있다면 소득이 늘어나는 만큼 지출이 따라서 늘어나는 것입니다. 돈을 벌기 시작하면서 학생 때는 가보지 못한 음식점도 가게 되고, 학생 때 가져보지 못한 것들도 사고 싶은 생각이 드는 시기입니다. 그러나 자신의 라이프 패턴을 유지하고 지출 규모를 일정하게 유지할 수 있으면 소득이 늘어나는 만큼 저축액도 늘어날 수밖에 없습니다. 그렇다고 기준도 없이 아끼기만 하고 살 수는 없는 노릇이니 나만의 저축률을 목표로 잡는 것이 좋습니다. 저축률을 목표로 잡으면 소득이 늘어나는 것만큼 지출할 수 있는 여유도 생기기 때문에 소득을 늘려야 할 이유가 될 수도 있습니다. 한 달에 100만 원을 벌 때 70%를 저축하려면 30만 원 밖에 쓸 수 없지만, 소득을 300만 원으로 늘리면 90만 원을 쓸 수 있습니다.

저는 지금도 여전히 70%의 저축률을 기준으로 삼고 있지만 사회 초년기에 비해서는 소득이 크게 늘어났기 때문에 특별히 절약한다는 생각 없이 살고 있습니다. 다만 오랜 시간 몸에 밴 검소한 습관은 여전히 남아있어서 지금은 아무리 쓴다고 써도 연 소득의 30%를 쓰는 것이 쉽지 않습니다.

제가 정확히 직장 생활 만 3년이 되었던 시기에 저축액 1억 원을 넘겼지만 모두의 소득과 지출이 다르고 상황도 다를 수 있습니다.

영세한 기업에서 시작할 수밖에 없는 사람, 젊은 시절부터 부모님을 부양해야 하는 사람 등 각자의 사정이 있게 마련입니다. 그럼에도 불구하고 20년 전 사회 초년생이었던 제 자산을 솔직하게 공유하는 이유는 많으면 많은 대로 적으면 적은 대로 다른 사람들이 뭔가 생각하고 얻어 갈 수 있기를 바라기 때문입니다. 저의 역사는 저의 역사일 뿐 사회 초년생이라면 저의 얘기를 곁눈질로 참고하고 각자의 이야기를 만들어가면 됩니다.

20년 전의 저는 주변에 있는 어느 누구보다도 가난했고 학생 시절에는 상대적인 박탈감도 많이 느껴봤지만 현재는 저보다 여유 있는 마인드로 사는 사람을 찾아보기가 어렵습니다. 이건 꼭 경제력 때문이 아니라 밑바닥에서부터 차곡차곡 공부하며 쌓아 올린 경험 때문입니다. 학생 때 이미 부자였던 친구들은 지금도 여전히 저보다 부자이지만 나이가 들어도 별로 성장했다는 느낌이 안 드는 경우를 많이 볼 수 있습니다. 사회 초년기에는 대단한 투자 성공이 아니라 꾸준한 자기 관리가 무엇보다 중요하고 꾸준함의 결과는 시간이 보상해 준다는 점을 기억해야 합니다.

02

사회 초년생이 알아야 할 재테크의 기본

사회 초년생이 진정한 사회인으로 성장하는 과정에서 알아야 할 것들이 많지만 그 중에서 경제와 재테크의 기본에 대한 얘기를 하려고 합니다. 우선 '왜 경제 지식이 필요한가?'라는 부분에 대해 얘기하자면 우리가 어떤 곳에서 살고 있는지에 대해 먼저 생각해 볼 필요가 있습니다.

우리는 기본적으로 민주주의와 자본주의라는 두 가지 큰 사회 시스템 안에서 살고 있습니다. 그래서 사회생활을 시작하는 사람들은 민주주의에 대한 이해와 자국 정치에 대한 관심이 매우 중요하다는 점을 알아야 합니다. 정치 시스템도 결국 내가 낸 세금을 통해서 돌아가고 개인의 경제 문제와도 밀접한 관계가 있기 때문에 정치 혐

오로 이를 외면하는 상황이 되어서는 안 됩니다. 내가 정치를 혐오하든 안 하든 정치는 계속 존재하고 내 삶에도 지대한 영향을 미칠 것이기 때문입니다.

또 하나의 큰 축인 자본주의는 노동자와 자본가로 구성되어 있습니다. 아주 간단히 정의하자면 노동자는 노동 소득을 얻는 사람이고, 자본가는 자본 소득을 얻는 사람입니다.

사회 초년생이 노동 소득을 높이기 위해서는 어떻게 해야 할까요? 당연히 자기 분야에 대한 전문 지식과 경험을 꾸준히 쌓고, 자기 자신의 몸값을 높여가는 것이 필요합니다. 또한 자본가로서 자본 소득을 높여가기 위해 각자의 전문 분야 지식 뿐만 아니라 경제 지식을 꾸준히 쌓는 것도 필요합니다.

현재 우리의 교육 시스템은 노동자로서의 능력과 기술을 키우는 데 집중되어 있습니다. 그래서 자본가로서 혹은 민주 시민으로서의 자질을 키우는 것이 마치 개개인의 관심 영역인 것처럼 인식되는 경향이 있지만 우리가 살고 있는 시스템의 측면에서 보자면 자본가로서의 지식과 민주 시민으로서의 지식을 쌓는 것은 선택이 아니라 필수라고 생각해야 합니다.

이것이 '왜 경제 지식이 필요한가?'에 대한 답입니다. 시스템 안에서 산다면 시스템의 룰을 지키는 방법과 그 룰을 나에게 유리하도록 만드는 방법도 공부해야 합니다.

금리의 중요성

재테크의 기본은 자산, 금리, 시간입니다.

자산은 대부분 알고 있듯이 '자본 + 부채'를 의미합니다. 기본적으로 돈이고 너무도 당연히 중요한 요소입니다. 특히, 유동성이 있는 종자돈을 만드는 것이 매우 중요합니다. 그리고 금리는 자본주의 시스템의 매우 중요한 근간으로 모든 것은 금리로부터 출발한다고 해도 과언이 아닙니다.

헝가리 출신의 전설적인 투자자인 '앙드레 코스톨라니'의 여러 유명한 이론 중에 금리의 중요성을 잘 설명하고 있는 '코스톨라니의 달걀 모델'이 있습니다. 부자들이 투자를 하는 사이클을 설명한 모형으로 이러한 사이클은 기본적으로 금리를 통해 결정됩니다.

금리가 정점에서 떨어지면 부자들은 예금을 정리하고 조금 위험성 있는 채권 투자로 옮겨갑니다. 그리고 금리가 더 떨어지면 조금 더 위험한 부동산 투자로 옮겨갑니다. 금리가 저점을 통과하면 부동산을 매도하고 위험 자산인 주식투자로 옮겨갑니다. 금리가 다시 정점을 향해 올라가면 부자들은 주식을 매도하고 다시 안전자산인 예금으로 옮겨갑니다. 부자들은 이러한 사이클에 한발 앞서가고, 가난한 사람들은 늘 부자들이 움직이는 것을 보고 뒤늦게 시장에 뛰어들어 손해를 보게 됩니다. 그래서 우리는 항상 시장의 금리를 예의 주시할 필요가 있습니다.

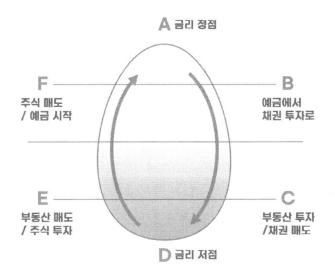

그림 6 코스톨라니의 달걀 모델

복리의 마법

금리와 관련해서 가장 유명한 일화가 하나 있습니다.

「1600년대로 거슬러 올라가면 미대륙은 유럽 열강의 지배를 받고 있었습니다. 1626년 네덜란드의 초대 총독이었던 페테르 미노이트(Peter Minuit)는 24달러 가치의 조개 염주와 담요를 주고 현재 뉴욕의 맨해튼 섬을 원주민으로부터 매입하였습니다. 원주민에게 부당한 거래라고 생각하지만, 만약에 원주민이 24달러를 연 8%의 복리로 1988년까지 저축을 했다고 가정한다면, 단리로는 695달러가 되는 것에 비해, 복리로는 무려 30조 달러로 불어있게 됩니다. 실제 1988년 맨해튼 땅값이었던 562억 달러보다 530여 배나 많은 액수입니다.」

- '동아일보' 2011.02.22 -

여기에서 '단리'와 '복리'라는 개념이 등장하는데, 세기적 천재인 아인슈타인은 복리가 우주에서 가장 강력한 힘을 가졌다는 말을 했다고 알려져 있습니다. 재테크와 관련해서 자주 등장하는 말이지만 금융 회사의 마케팅 문구에서 출발했다는 설이 사실에 가깝습니다. 다만, 복리가 주는 힘이 얼마나 대단한 것이지 설명하기에는 부족함이 없는 표현이라고 할 수 있습니다.

조금 다른 얘기를 하자면, 아인슈타인의 $E=mc^2$ 이라는 세계에서 가장 유명한 공식이 있습니다. 이 공식을 간단하게 설명하면, m이라는 질량을 가진 물체가 가지고 있는 에너지(E)는 그 물체의 질량(m)과 빛의 속도(c)의 제곱을 곱한 것과 동일하다는 의미입니다. 이 공식에 따른다면 책상 하나 정도의 질량을 가진 물체가 한 도시를 날려버릴 정도로 엄청난 에너지를 포함하고 있다는 것입니다. 이 공식이 바로 핵폭탄의 기본 원리로 사용되는 공식이며, 이 공식에서 어마어마한 에너지를 만들어 내는 것이 바로 '빛의 속도(c)'라는 큰 값의 제곱이라는 수치입니다. 제곱의 힘은 이렇게 대단합니다.

그럼 다시 복리 얘기로 돌아와 보겠습니다.

$$S = A(1+r)^n$$

A = 원금,
r = 이율
n = 기간
S = 원리합계(元利合計)

그림 7 복리 공식

위 공식(그림 7)은 복리를 구하는 공식으로 원리합계(S)는 복리를 통해 얻을 수 있는 수익의 총액입니다. 공식에서 가장 중요한 점은 기간(n)이라는 값이 이 공식에서 곱하기도 아닌 무려 n제곱, 즉, n 승이라는 점입니다.

원금(A)은 우리가 금수저로 태어나서 많은 재산을 물려받거나 혹은 교육을 잘 받고 머리가 남들보다 뛰어나 돈을 아주 잘 벌어야 높아질 수 있습니다. 이율(r) 또한 시장 상황이나 경제 상황에 따라 달라질 수 있고 투자에 대한 두뇌가 남들보다 뛰어나 높은 수익률을 얻을 수 있어야 높아집니다. 하지만 기간 (n)은 모든 사람에게 동일하고 공평하게 주어집니다. 우리 모두는 동일한 출발선에서 시작하여 동일한 시간의 흐름 속에서 살아가고 있습니다.

우리가 기간(n)을 높이는 유일한 방법은 남들보다 먼저 저축과 투자를 시작하는 것 뿐입니다. 이것이 바로 재테크에 있어서 사회 초년생의 가장 유리한 지점입니다. 사회 초년생이 가지고 있는 시간이라는 요소는 재테크에서 어떤 값보다 중요한 요소로 작용할 수 있습니다. 남들보다 많이 남은 인생의 시간은 복리의 공식에서 곱하기가 아닌 무려 n 제곱으로 작용하기 때문에 이 요소를 빨리 사용할수록 부자가 될 가능성은 높아집니다. 그리고 사회 초년생들은 이 점을 반드시 알아야 합니다.

가끔 이런 얘기 하는 친구들이 있습니다. "젊을 때 쓰고 싶은 만큼 쓰면서 즐겨야지, 젊을 때 뼈 빠지게 모아서 나이 먹고 써봐야 뭐 하나…"

물론 인생을 어떻게 살 것인지에 대한 선택은 본인이 하는 것이지만 적어도 젊을 때 모은 돈과 나이 들어서 모은 돈이 얼마나 거대한 차이를 만드는지 안다면, 현재 내가 해야 할 일이 무엇인가를 판단하는 데 도움이 될 수 있습니다. 돈을 쓰는 건 나이 상관없이 언제나 좋습니다.

대단한 수익률이 아니더라도 복리로 장기 투자하면 단리에 비해 시간이 지날수록 아주 큰 차이가 생기게 됩니다. 복리를 전제로 자산이 두 배로 늘어가는 데 걸리는 시간을 계산하는 '72의 법칙' 정도는 당연히 알고 있어야 하며, 단순히 계산하는 방식을 아는 것을 넘어 이것이 주는 의미를 이해해야 합니다.

돈의 두 가지 얼굴

돈이라는 것은 화폐로서의 가치와 자산으로의 가치, 두 가지 얼굴을 가지고 있습니다. 화폐로서의 얼굴은 실물과 교환될 때 최고의 가치를 발휘합니다. 반면에 자산으로서의 얼굴은 내 수중에 쌓여 있어야만 최고의 가치를 발휘합니다. 부자가 되기 위해서는 화폐로서의 가치에 매몰되지 말고, 자산으로서의 가치를 이해하고 두 가치의 밸런스를 잘 맞추어 나가야 합니다. 즉, 잘 벌고, 잘 모으고, 잘 관리하고, 잘 써야 하는 것입니다.

처음 사회생활을 시작하면 노동 소득 이외에는 아무런 소득이 없지만 소비와 생활 규모를 통제하여 자본을 축적해 나가면 차차 자본 소득이 발생하게 됩니다. 이때 자본소득이 얼마 되지 않는 작은 금액이라고 무시해서는 안 됩니다. 만 원이든 십만 원이든 노동 이외에 소득이 발생한다는 사실 자체를 즐겨 나가다 보면 '노동 소득 + 자본 소득'을 통해 소득의 팽창 속도가 점점 빨라지게 됩니다.

누구나 나이가 들면 노동자로서 사회적 가치에 정점을 찍고 노동 소득이 줄어드는 시기가 오게 됩니다. 이런 상황이 왔을 때 자본 소득을 얼만큼 만들어 놓았는가에 따라 인생의 다음 라운드를 여유 있게 준비할 수 있는 수준이 달라지게 됩니다. 여기에 투자까지 잘하는 사람이라면 자본 소득이 노동 소득의 수준을 빨리 넘어서게 되고 자본 소득 만으로도 충분히 삶을 영위할 수 있게 됩니다.

일찍 시작하는 것의 중요성

자본 소득이 소비 지출의 수준을 넘어서서 더 이상 아무 일을 하지 않더라도 자산이 계속 늘어나게 되는 구조가 되면 드디어 경제적 자유에 도달했다고 말합니다. 경제적 자유를 달성하더라도 꾸준히 자기 일을 한다는 것은 여러 가지 측면에서 의미가 있으므로 자기 가치를 높여 노동 소득을 유지하는 것도 당장의 재테크 이상으로 중요합니다. 재테크를 통해 부자가 되어서 지금 하고 있는 일을 빨리 그만두고 싶다고 생각하기 보다는 지금 하고 있는 일을 좋아하고 발전시켜 나가면서 전문인으로서 성장하고, 경제 지식을 꾸준히 쌓아가며 자본 소득을 늘려가는 밸런스가 매우 중요합니다.

사회 초년기 가계부에서 설명했듯이 저는 고등학교를 졸업한 이후부터 경제적으로 부모님께 의지하기 어려운 환경이었기 때문에 늦은 나이에 빚이 있는 상태로 경제 활동을 시작하게 되었습니다. 남들보다 많이 늦었다는 생각에 공격적인 투자도 해보았고 여러 번의 투자 실패도 경험했습니다. 거시 경제, 대중 심리, 주식 투자, 부동산 투자 등 그동안 공부하고 경험하며 내재화한 나름의 경제 철학이 있지만 가장 기본이 되는 것은 결국 저축입니다.

사회 전반은 과거보다 풍요로워졌지만 요즘 사회에 나오는 친구들이 어쩌면 과거보다 더 어려운 환경일 수도 있습니다. 그러나 주어진 환경에서 최대한 빨리 시작하는 것이 중요하다는 점은 영원히 변하지 않는 사실입니다.

03
재테크의 기초 '72의 법칙'과 '복리의 마법'

　재테크에 대한 기초에서 빠지지 않고 등장하는 것이 '72의 법칙'과 '복리의 마법'에 대한 이야기입니다. 이 내용을 모른다면 재테크와 돈에 대한 공부를 전혀 안 해봤다고도 말할 수 있을 정도로 매우 잘 알려져 있습니다. 저도 복리의 마법을 믿고 긴 시간 재테크를 해오고 있는데 그만큼 '72의 법칙'과 '복리의 마법'은 재테크에 있어서 기본 중의 기본입니다.

　단리와 복리의 차이는 이미 알고 있겠지만 다시 한번 정리하자면, 단리는 원금에 대해서만 이자를 붙이는 이자 계산 방법이고, 복리는 원금에 붙은 이자에도 동일한 이율을 적용하여 이자를 붙이는 방식입니다. 그만큼 복리를 적용하면 이자 붙는 속도가 매우 빨라집니다.

72의 법칙 (The Rule of 72)

72의 법칙은 복리의 이율로 원금이 2배가 되는데 걸리는 시간을 간단히 구할 수 있는 마법의 공식으로 알려져 있습니다.

72 ÷ (수익률) = 원금이 두 배가 되는데 걸리는 햇수

1,000만 원을 연 6% 복리 예금에 저축하고 원금의 두배인 2,000 만 원이 만들어지는데 걸리는 시간을 계산하면 (72÷6=) 12년이 나 옵니다. 만일 수익률을 10%로 적용한다면 (72÷10=) 7.2년이면 원 금의 두배를 만들 수 있습니다. 즉, 아무것도 안 하고 7년만 예금에 넣어두면 1,000만 원이라는 돈이 2,000만 원이 된다는 것입니다.

72 ÷ (햇수) = 원금이 두 배가 되는데 필요한 수익률

반대로 1,000만 원을 몇 년 후에 2,000만 원으로 만들고 싶다면 72÷(햇수)를 하면 필요한 이자율이 나옵니다. 1,000만 원을 5년 후 에 2,000만 원으로 만들고 싶다면 (72÷5=) 14.4(%)의 금리를 주는 복리 예금에 저축을 해야 합니다.

72의 법칙은 레오나르도 다빈치에게 수학을 가르쳤던 루카 파치올리(Luca Pacioli, 1447 ~ 1517)가 저술한 수학책에서 처음 언급이 된 것으로 전해지고 있는데, 현재는 재테크를 공부한 사람이라면 누구나 들어봤을 유명한 공식이 되었습니다.

돈을 잃는 것은 시간을 잃는 것

72의 법칙을 보면 쉽게 알 수 있듯이 복리의 핵심은 수익률과 투자 기간입니다. 일정한 수익률 이상을 낼 수 없다면 더 오래 투자하고 기다리는 사람이 큰 수익을 얻게 되고, 만일 기다릴 시간이 없다면 수익률을 높여야 합니다. 그러나 아무리 열심히 재테크를 해봐도 수익률을 높이는 것이 생각보다 쉽지 않은 일입니다. 주식 투자로 큰 수익을 한 번 냈다고 해도 이를 꾸준히 유지하는 것은 정말 어려운 일입니다. 이러한 투자 원칙에 대해 오마하의 현인으로 불리는 워런 버핏이 한 유명한 말이 있습니다.

첫 번째, 돈을 잃지 마라.
두 번째, 첫 번째 투자 원칙을 절대 잊지 마라.

돈을 잃는다는 것은 수익률이 마이너스가 된다는 것이고 복리 효과를 무의미하게 만드는 가장 치명적인 요소입니다. 그래서 투자에 있어서 항상 안정적인 수익률과 시간의 중요성을 강조하는 것입니다.

시간과 복리의 중요성

재테크에서 시간과 복리의 중요성은 아무리 강조해도 지나치지 않습니다. 하나 더 추가한다면 워런 버핏이 강조했듯이 자산 훼손에 대한 리스크 관리가 필요합니다. 한번 마이너스 수익이 나게 되면 이를 다시 복구를 한다고 해도 지나간 시간까지 복구할 수는 없기 때문입니다.

투자 실패로 1,000만 원이 반 토막이 나서 500만 원이 되면 수익률은 -50%이지만, 남아 있는 500만 원을 다시 1,000만 원으로 만들려면 두 배인 +100%의 수익을 내야 합니다. 그래서 너무 조급한 마음으로 위험 자산에 투자하기 보다는 열심히 벌고, 모으고, 안정적으로 투자하면서 언젠가는 시간과 복리의 마법이 나에게 부를 가져다 줄 거라고 믿어야 합니다.

04

가계저축률 70% 달성을 위해 지켜야 할 것

저는 지금까지 항상 70%의 저축률을 목표로 살아왔습니다. 저보다 더 많이 벌고, 더 많이 저축하는 사람들도 있겠지만 나름대로 제가 저축을 해오면서 느낀 점들이 있습니다.

'가계저축률'은 '개인순저축률'이라고도 합니다. 세금과 이자 등을 제외하고 개인이 쓸 수 있는 모든 소득(가처분소득) 가운데 소비 지출에 쓰고 남은 돈의 비율을 말합니다. 개인순저축률이 1%라면 월 100만 원을 벌어서 소비에 쓰고 난 뒤 저축할 수 있는 여윳돈이 1만 원이라는 뜻입니다.

(그림 8) 2022년 기준 국내 가계저축률은 9.1%입니다. 2020년에

는 12.4%로 가계 경기가 좋은 편이었지만 2021년 10.6%로 떨어진 저축률이 2022년에는 9.1%까지 하락했습니다. 전 국민 평균이라고는 하지만 저축을 중요하게 생각하는 한국인의 특성을 고려하면 상당히 낮은 수치라고 생각됩니다. 그러나 부자를 목표로 하는 사람들이 굳이 낮은 평균을 바라보며 스스로 안도할 이유는 없습니다.

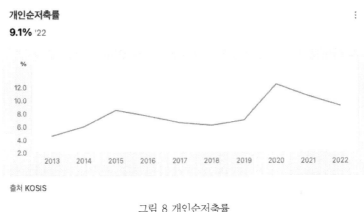

그림 8 개인순저축률

저축 목표 연 70%

2004년부터 가계부를 써오면서 제가 늘 목표로 한 저축률은 '연간 70% 이상'입니다. 월 기준이 아닌 연 기준으로 목표를 잡는 이유는 매월 발생할 수 있는 예기치 못한 지출 상황에 대해 너무 크게 스트레스 받지 않고 다음에 만회할 수 있는 기회를 스스로에게 주기 위해서 입니다. 사회생활 초기에는 일정한 급여 소득과 반복적인 일상으로 70% 선을 꾸준히 유지했지만 이후에는 소득이 갑자기 크게 늘어나 저축률이 높은 해도 있었고, 개인적인 사정으로 저축률이 크게 떨어진 해도 있었습니다.

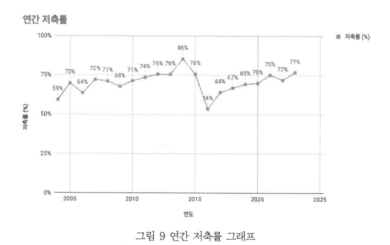

그림 9 연간 저축률 그래프

현재까지 그래프(그림 9)를 보면 70% 이상을 지킨 해도 있고 그렇지 못한 해도 있지만 이에 연연해 하지는 않고 꾸준히 70% 선을 유지하기 위해 노력해 왔습니다.

야망을 버리고 목표를 가질 것

유독 산이 많은 우리나라는 등산을 취미로 하는 사람들도 많은데 산을 오를 때 가장 힘들고 지치는 방법이 뭘까요? 바로 정상에 도착하기 위해 오직 산꼭대기만 쳐다보고 오르는 것입니다. 산에 오르는 가장 좋은 방법은 한걸음 한 걸음의 발걸음에 집중하면서 올라가는 것입니다. 산 정상을 쳐다보는 것은 오르는 길에 방향을 잃지 않도록 한 번씩 확인하는 정도로 충분합니다.

돈을 모으는 것도 이루기 어렵거나 막연한 최종 목표를 정해 놓고 그 목표만 바라보면서 살아가다 보면 목표의 노예가 되기 쉽습니다. 어린 시절을 떠올려 보면 '나중에 큰 부자가 될 거야'라고 떠들던 야망 있는 친구들 중에 부자가 된 사람을 별로 보지 못했습니다. 젊을 때 큰소리치던 친구들보다는 오히려 하루하루 성실하게 목표를 정하고 실천해 나간 친구들이 지금 보면 좀 더 여유 있게 살고 있습니다. 그래서 언젠가 10억 원을 모으겠다는 목표보다는 매달 70%를 꾸준히 저축하겠다는 목표가 좋습니다. '100억 원을 모아서 부자가 되겠어'라는 생각으로 살면, 그 과정에서 지쳐 포기해 버릴 확률이 높지만 '매달 70%를 저축 하겠어!'라는 생각으로 하루하루 실천해 나가면 어느 날 문득 '어느새 이만큼 모았네?'라는 생각을 하게 될 수 있습니다.

70%를 저축하는 것은 절대 호락호락한 목표가 아니기 때문에 몇 달 동안 목표 달성에 성공해 보면 또다시 동기 부여가 되어 '이후

에도 목표를 지켜가야지'라는 각오를 다지게 됩니다.

내가 가는 방향이 옳다고 스스로 정했다면 멀리 있는 목표는 잠시 잊고 짧은 목표를 한 걸음씩 실천해 나가는 것이 중요합니다.

작은 실패에 자책하지 말 것

새해가 되었을 때마다 결심하지만 결국 작심 3일로 끝나는 대표적인 도전 중 다이어트와 금연이 있습니다. 이 중에서 다이어트에 대해 한 번 생각해 보겠습니다.

많은 사람들이 굳은 결심으로 다이어트를 시작하면 체중계를 하나 장만해서 매일매일 체중을 체크하기 시작합니다. 한동안 다이어트를 열심히 해서 1kg이라도 체중이 빠지는 것을 확인하면 대단히 기뻐합니다. 그러나 다이어트를 소홀히 한 기간이 생기기 시작하면 점점 체중계에 올라가는 것이 두려워지기 시작합니다. 그러면서 체중 체크를 하루하루 미루게 되고 결국 다이어트 결심은 다시 다음 해로 넘어가게 됩니다.

우리가 목표를 이루기 위해서는 이런 작은 두려움을 떨치는 것이 필요합니다. 약간의 스트레스를 받더라도 체중 체크를 미루지 않으면 조만간 다시 열심히 시작할 동기를 얻게 되지만, 계속 미루기만 하면 결국 되돌아가기 어려워집니다.

돈을 모으는 것도 마찬가지입니다. 저축하겠다는 굳은 마음으로 가계부를 쓰는데, 어느 날 지출을 통제하지 못하고 잔뜩 써버린 달이 발생하면 이제는 가계부를 쳐다보기가 싫어 집니다. 그러나 이런 작은 실패를 무시하고 꾸준히 기록하다 보면 언젠가는 목표한 궤도로 다시 돌아올 수 있습니다.

중간의 작은 실패에 대한 스트레스를 가볍게 무시하고 내가 정한 루틴을 꾸준히 지키는 것이 오랜 시간이 지난 후에 발생할 큰 후회를 막아줄 수 있습니다.

미래가 아닌 현재를 위해 저축할 것

저는 스마트폰 가계부 앱을 사용하고 있으며 하루에도 여러 번 앱에 들어가서 수입, 지출, 자산을 확인하고 정리합니다. 계좌 이체와 카드 사용 내역이 자동으로 기록되기 때문에 월 말이 아니면 중요하게 들여다볼 일도 없고 들어가 봐야 필요한 내용 몇 초 확인하고 바로 나오는 것이 전부이지만 가계부를 자주 들어가 보는 이유는 이것이 저에게 꽤나 즐거운 일이기 때문입니다.

오랜 시간동안 꾸준히 가계부를 쓰고 있지만 매달 가계부에 기록된 내역을 결산하고 연말이 되면 연간 저축률을 결산하는 것이 저에게는 큰 즐거움입니다.

가계부를 열어보는 것을 즐겁게 느끼고 자산이 쌓여가는데 재미를 붙이는 것이야 말로 저축률을 높이는 데 있어서 무엇보다 중요한 요소입니다. 돈을 모으기 위해 가장 중요한 점은 소비가 아닌 저축의 과정에서 즐거움을 찾아야 한다는 부분입니다.

저축이 미래를 위해 현재를 포기하는 것이 아니라 하루하루 자산이 쌓여가는 과정에서 느낄 수 있는 현재의 행복을 위해서라고 생각할 때 목표한 저축률도 달성할 수 있고 스스로도 행복하게 성장할 수 있습니다.

가계부를 써야 하는 유일한 이유

요즘은 카드 사용 내역과 계좌 이체 내역을 자동으로 가져와 가계부를 작성해 주는 서비스들이 많아졌습니다. 가계부를 쓰는 것은 돈을 모으기 위해 가장 기본적으로 해야 할 일이지만 단순히 입출금 내역을 기록으로 남기는 것만으로는 가계부를 쓰는 효과가 충분하지 않습니다. 어떤 방식으로 가계부를 쓰던 상관없지만 중요한 것은 나의 소비, 지출, 저축액에 대한 정보가 완전히 나에게 내재화되어야 한다는 것입니다.

이를테면 어느 날 누군가 나에게 한 달에 얼마를 쓰고 얼마를 저축하는지 그리고 이번 달의 소비 금액이 얼마인지 물어봐도 대략적인 수치를 바로 대답할 수 있을 정도가 되어야 합니다.

중요한 것은 가계부 쓰는 방법이 아니라 가계부의 정보가 항상 나에게 인지되고 있어야 한다는 점입니다.

정보의 내재화가 안 되는 이유

요즘은 대부분의 사람들이 신용카드를 사용하기 때문에 한도를 느끼지 않고 소비할 수 있습니다. 더구나 각종 혜택이 있다는 이유로 여러 개의 신용카드를 사용하다 보면 지출 파악이 정말 어려워집니다. 지갑에 있는 현금으로만 소비를 하면 지갑에 돈이 떨어졌을 때 은행으로 돈을 찾으러 가는 수고로움으로 인해 자연스럽게 그 경험이 기억으로 남게 됩니다. 그래서 가계부를 쓰지 않더라도 신용카드를 사용하는 것에 비해 정보를 내재화하기 훨씬 유리합니다.

유사한 이유로 자동으로 기록되는 가계부는 크게 의미가 없습니다. 자동으로 가계부에 소비, 지출 정보가 기록된다고 해도 한 달에 한 번 들여다보고 "이번 달엔 왜 이렇게 돈을 많이 썼지?"라며 기록된 내용을 처음부터 하나하나 들여다봐야 하는 정도라면 특별히 가계부를 쓸 필요도 효과도 없습니다.

정보가 내재화된다는 것은 "이 항목과 이 항목 때문에 이번 달 지출이 늘어났구나."라고 단번에 파악할 수 있을 정도가 되어야 한다는 것입니다.

정보의 내재화가 안되는 이유는 많은 것들이 나의 직접적인 행위 없이 미처 인지하지 못하는 사이에 일어나기 때문입니다.

정보를 내재화하면 생기는 일

가계부의 정보를 내재화 하려면 마치 공부하는 것처럼 꼼꼼히 쓰고, 자주 들여다보고, 꾸준히 오래 써야 합니다.

가계부를 쓰는 행위 자체가 궁극적으로는 돈을 모으기 위한 목적이기 때문에 대부분의 사람들이 가계부를 꾸준히 쓰겠다는 목표와 함께 지출을 얼마까지 줄이겠다는 목표를 동시에 세울 거라고 생각합니다. 물론 둘 다 필요한 목표이긴 하지만 가계부를 쓰겠다는 시도를 여러 번 실패한 사람이라면 평상시의 지출을 가계부 작성으로 줄이겠다는 목표를 버리고 우선은 꾸준히 기록만 하겠다는 목표를 세우는 것도 방법이 될 수 있습니다.

사람들이 가계부를 쓰다가 포기하는 이유가 처음 각오와는 다르게 생각보다 많은 지출이 생기면 가계부를 다시 들여다보기 싫어지기 때문인 경우가 많습니다. 이로 인해 가계부 작성의 효용성도 의심을 하게 됩니다. 두 가지의 목표를 연결해 놓았기 때문에 하나를 달성하지 못하면 나머지 하나마저 포기하게 되는 것입니다. 만일 두 가지 목표를 한번에 달성하기 어려운 사람이라면 우선은 가계부를 꼼꼼히 기록하고, 공부하듯 자주 들여다보고, 정리하는 습관만을 목표로 세워보는 것도 괜찮은 방법이 될 수 있습니다.

가계부를 꼼꼼히 기록하고, 자주 들여다보고, 오래 쓰다 보면 가계부의 정보가 점점 내재화됩니다. 이렇게 정보가 내재화되면 이례적인 소비에 대한 파악이 쉬워지고 자연스럽게 소비를 절제할 수 있게 됩니다. 당장은 소비 절제가 안되더라도 지속적인 습관으로 내 재무 현황을 훤히 알게 되면 소비에 대한 습관도 바뀔 수 있고 재무적인 목표를 세우고 달성하는 것도 가능해집니다. 그래서 지출이 아무리 많다고 해도 가계부 쓰고 보는 것을 두려워해서는 안됩니다. 가계부 안 본다고 이미 질러버린 카드 값이 안 나가는 것도 아니니까요.

결국 방법이나 툴(tool)의 문제가 아니라 습관을 통한 정보의 내재화가 핵심이고, 이것이 돈을 모으기 위해 가계부를 써야 하는 유일한 이유입니다.

06

부자의 길을 방해하는 적들

부자가 되고 싶다는 목표를 세우는 직장인들은 정말 많습니다. 특히 사회 초년생이라면 이제는 돈을 벌기 시작했으니 빨리 그리고 많이 모아야 한다는 생각이 들기도 합니다. 그러나 막상 사회생활을 하면서 월급을 받아보면 생각보다 돈이 쉽게 모이지 않는 것을 금방 깨닫게 됩니다.

돈을 모으는 데 있어서 가장 중요한 복리의 마법에 대해 다시 한 번 되짚어 보면 원금, 이자율, 시간을 통해 자산이 만들어지는데 이 중에서 돈을 모은다는 것은 원금, 즉 종자돈을 만들기 위한 과정이라고 할 수 있습니다.

복잡하게 생각할 필요 없이 원금을 늘리고 종자돈을 만들기 위해서는 많이 벌고 적게 써야 합니다. 직장인이 돈을 많이 버는 방법은 능력을 키워 급여가 높은 직장에서 일하는 방법이 있고, 직장을 다니면서 부업을 통해 추가 소득을 얻는 방법이 있습니다. 직장을 그만두고 사업을 해서 큰돈을 버는 것도 하나의 가능성이지만 사업가라면 재테크에 몰두하기 보다는 본인의 사업 성공과 성장을 위해 모든 에너지를 쏟아부어야 할 필요가 있습니다.

돈을 많이 버는 것이 가장 확실하게 원금을 늘리는 방법이지만 사람마다 가지고 있는 능력의 차이가 있기 때문에 누구에게나 쉬운 방법은 아닙니다. 그러나 적게 쓰는 것은 많이 버는 것과 비교하면 훨씬 더 실천하기 쉬운 현실적인 방법입니다. 소득의 증가가 한정되어 있는 직장인에게 가장 큰 수익률을 안겨줄 수 있는 방법은 결국 적게 쓰고 최대한 저축하는 것입니다. 그렇게 하기 위해서는 돈 못 모으는 사람들이 공통적으로 가지는 생각, 습관, 행동을 피해야만 합니다.

돈은 성공하면 따라오는 거야!

돈은 성공하면 따라오는 것이지 사람이 돈을 쫓아서는 안 된다는 말을 신념처럼 여기는 사람들이 있습니다.

직장인의 경우 회사에 모든 것을 바치고 일하다 보면 언젠가는 고위 임원이 되어 사회적인 지위도 얻고 그에 따른 경제적인 보상도 생길 수 있겠지만 임원이 되는 것(특히 대기업에서)은 확률적으로 대단히 어려운 일입니다. 특히 변화가 빠른 IT 업계는 사원 시절부터 회사에 충성해서 한 단계씩 올라가 임원이 되는 경우가 흔치 않고 필요에 따라 큰 성공을 경험했거나 새로운 트렌드 부합하는 사람을 임원으로 스카우트하는 경우가 더 많습니다.

낮은 확률에 배팅하는 것보다는 젊을 때부터 착실히 돈을 모아두면 나중에 다른 기회를 선택할 수도 있을 텐데 회사에 충성하다가 돈 모을 수 있는 시절을 다 놓쳐버린 사람들을 보면 조금 안타까운 생각이 듭니다. 보통 이런 사람들은 자신이 선망하는 지위의 사람들과 어울리거나 그들에게 잘 보이기 위해 노력하느라 눈만 점점 높아져서 자신의 소비 규모도 커지는 경우가 많습니다.

저는 항상 전문인으로서 직업적인 노력도 열심히 하고 돈도 열심히 모아야 한다고 충고합니다. 왜 둘 중 하나만 선택해야 한다고 생각하는지 지금도 잘 모르겠습니다.

그 돈 아낀다고 부자 안된다!

작은 돈을 아낀다고 부자가 될 수 없는 건 맞는 말이지만 작은 돈은 작은 돈 나름대로의 의미가 있고 큰 돈은 큰 돈 나름의 의미가 있습니다. 중요한 건 10원 아껴서 1억 만드는 게 아니라 돈을 대하는 자세인 것입니다.

작은 돈을 아끼지 못 하는 사람들은 결국 큰 돈도 아낄 줄 몰라서 빚만 쌓이게 되는 경우가 많이 있습니다. 아껴야 하는 큰 돈과 아끼지 않아도 되는 작은 돈의 기준선을 정확히 그을 수 있는 사람은 없습니다.

스스로는 열심히 살았다고 생각하는데 시간이 지나 돌아보면 누군가는 자산이 많이 쌓여 있고, 자신은 빚만 쌓인 현실을 마주하게 될 수 있습니다. 이런 사람들은 항상 전혀 다른 곳에서 그 이유를 찾고는 합니다. 자신은 정말 운이 없는 인생을 살았다는 식으로 말입니다.

잘 나갈 때만 투자 전문가

주식이나 부동산이나 자산이 폭등하는 시기가 있고 그런 시기만 되면 투자 전문가로 변신하는 사람들이 있습니다. 자산 폭등기에는 많은 사람들이 투자에 관심을 가지게 되는데 해당 기간 동안만큼은 수익을 쉽게 낼 수 있기 때문에 이런 시기에 돈을 좀 벌면 하루 종일 투자 얘기만 하는 사람들이 이런 부류의 사람입니다. 하루에 얼마를 벌었다고 계좌 보여주며 자랑을 해도 별로 부러워 하거나 그 사람의 말에 신경 쓸 필요는 없습니다. 그 이유는 폭등기 이후에 필연적으로 오는 폭락기가 되면 어차피 투자에 대한 얘기는 한마디도 하지 않고 쏙 들어갈 게 뻔하기 때문입니다.

돈을 모으기 위해서는 꾸준히 투자에 관심을 가지고 일희일비하지 않는 자세가 중요합니다.

주변의 사기꾼 말만 믿는 행동

어쩌면 저도 어린 시절 재테크 시작할 때 좋은 멘토를 만나서 시키는 대로 열심히 했다면 지금보다 좀 더 나았을 거라는 생각도 합니다. 어릴 때는 제 생각을 고집했던 부분도 분명히 있었고 실패의 경험도 여러 번 있습니다.

지금은 어느 정도 경험이 쌓이다 보니 적어도 몇 가지 경제 분야에 대해서는 괜찮은 조언을 할 정도의 수준이 되었다고 생각하는데 절대로 저의 진심 어린 충고를 안 듣는 사람들이 있습니다. 그런데 이런 사람들의 공통점은 조금 사기꾼 같아 보이는 사람들의 말은 정말 잘 믿는다는 것입니다.

아마도 저는 성실함, 꾸준함, 안정적인 수익과 같은 매력적이지 않은 얘기를 주로 하고, 사기꾼 부류의 사람들은 듣는 사람의 감정과 욕망에 부합하는 큰 수익을 말해주기 때문이 아닐까 생각됩니다. 그래서 투자를 할 때에는 항상 낙관론자와 비관론자, 폭등론자와 폭락론자가 하는 말을 모두 귀담아들어볼 필요가 있습니다.

사회 초년생이 피해야 할 것

특별히 사회 초년생이 피해야 할 것들이 있다면 첫 번째로 너무 일찍 자동차를 구입하는 것입니다. 사회생활 시작하자마자 자동차를 구입하는 것은 더 이상 재테크를 하지 않겠다고 선언하는 것과 다르지 않습니다. 서울에 살면서 서울의 직장에 출퇴근을 한다면 말할 것도 없고, 직장과 멀리 살면서 출퇴근을 해야 한다면 돈을 모아서 자동차를 구입하는 것보다, 직장이 가까운 곳에 독립해서 사는 것이 훨씬 많은 경험을 얻을 수 있는 방법입니다.

저는 대중교통 수단이 그리 편리하지 않은 서울의 변두리에 살았기 때문에 대학교에 다닐 때는 지하철 2번, 버스 2번을 갈아타고 꼬박 2시간이 넘게 걸리는 거리를 매일 왕복 4시간에 걸쳐 통학해야 했습니다. 대학을 졸업한 후에 직장에 취업해서는 그래도 학교보다 많이 가까워졌지만 대략 1시간 이상의 출근 시간이 걸렸습니다. 이렇게 긴 통학 시간이나 출퇴근 시간이 너무 아까워서 가방속에는 항상 책을 가지고 다니면서 읽었는데 아마 제 인생에서 읽은 책의 상당수는 지하철에서 읽었을 것 같습니다.

운전을 하는 것 자체가 시간적으로 엄청난 손실이며 사회 초년기에 자동차 구입에 드는 비용과 유지비 등 경제적인 부분까지 생각하면 그 기회 비용은 말할 필요가 없습니다.

두 번째로 주의할 것은 보험입니다.

재테크와 관련해서 일반적으로 권하는 보험의 가이드라인은 본인 소득의 5% 내외에서 설계하는 것입니다. 그러나 보험은 비용이 문제가 아니라 내용이 문제인 경우가 더 많습니다. 매 시기마다 유행하는 보험 상품의 종류가 있지만 그런 것들은 시간이 지나면 새로운 유행으로 바뀌게 됩니다. 그럴 때마다 보험 회사는 새로운 상품으로 갈아타도록 온갖 회유를 하는 경우가 많습니다. 보험 가입자들은 이렇게 보험에 옮겨 탈 때마다 일정 부분의 손해를 보게 되고 결국은 보험 회사의 배만 불려주는 결과가 됩니다.

의료 실비 보험 이외에 가입하는 것은 추천하지 않고 원금 보장형 상품은 혜택이 약하고 수혜 조건이 까다로운 경우가 많아 이것도 권장하지 않습니다. 보험 상품의 구조가 대부분 절대적으로 보험 회사에 유리하도록 설계되어 있기 때문에 보험회사가 그렇게 많은 부동산을 사고, 많은 직원을 두고, 많은 돈을 버는 것이라는 점을 알아야 합니다. 다만 의료 실비 보험은 보험사가 수익을 위해서 판매하는 것이 아니라 다른 보험상품으로 유도하기 위한 영업 상품에 가깝기 때문에 유일하게 실 가입자에게 유리한 보험 상품이라고 할 수 있습니다.

앞서 보험의 비용보다 내용이 중요하다고 하는 부분은 가족 중에 특정 병에 대한 가족력이 있다면 나이 들었을 때를 대비해서 가입해야 할 수도 있기 때문입니다. 그러나 모든 사람이 불확실한 미래에 대비해 암 보험에 가입해야 할 필요는 없습니다. 보험은 투자 상품이 아니라 불확실한 미래에 대해 안전망을 만들기 위한 소비 상품이라는 생각을 가져야 합니다.

세 번째는 여행에 대한 얘기입니다.

저는 여행을 대단히 좋아하는 사람이지만 사회 초년기에 남들에게 보여주기 식으로 여행을 다니거나 혹은 남들이 여행 다니며 자랑하는 것이 막연히 부러워서 따라한 적은 없습니다.

여행을 통해 얻을 수 있는 경험의 가치는 매우 중요합니다. 그러나 남들 다 가는 여행 코스 다녀오고 여행 가서 면세점 쇼핑하고 돌아오는 건 경험적으로 별로 도움이 되지 않습니다. 직업적으로 해외 출장이 가능하다면 이와 연결해서 견문을 넓히는 기회로 활용하거나, 이런 기회가 없다면 배낭 하나 메고 최소 비용으로 많은 경험을 할 수 있는 여행을 추천합니다. 휴양지에서 잠깐이라도 럭셔리한 삶을 느껴보고 싶어서 가는 여행은 여행이라고 말할 수도 없고, 남들 다 가는 패키지여행이나 이와 유사한 코스의 여행들은 나이 들어서 경제적으로 안정된 상태에서도 충분히 할 수 있습니다. 오히려 배낭 메고 고생스럽게 하는 여행이야말로 나이가 들면 해보고 싶어도 하기 어려운 경험입니다. 젊은 시절에는 투어(Tour)를 하지 말고 트래블(Travel)을 해야 합니다.

네 번째는 말할 필요가 없는 쇼핑입니다.

가장 안 좋은 형태의 쇼핑은 '나만큼 버는 남들도 이 정도는 구입하는데…'입니다. 남들 하는 대로 하고 살면 그냥 남들처럼 된다는 점을 알아야 합니다. 오히려 남들과 비교해서 뭔가를 구입하는 게 아니라 자신이 정말 좋아하는 소비가 무엇인지 알고 그것을 소비해서 매우 큰 만족감을 얻을 수 있다면 남들이 절대로 이해하지 못하는 것이라고 해도 나에게는 충분히 가치 있을 수 있습니다. 내가 번 돈으로 내가 사고 싶은 걸 사겠다는데 누가 뭐라고 할 수 있겠냐마는 돈을 모으겠다고 마음먹었다면 쇼핑이 가장 큰 적이라는 점은 두 번 강조할 필요가 없습니다.

07

한계소비성향과 직장인 돈 모으기

개인의 소득은 소비와 저축으로 나뉘어 사용됩니다. 소득에 대해 소비로 지출하는 비율을 소비성향이라 하고, 저축에 들어가는 비율을 저축성향이라고 합니다.

한 달에 1,000만 원의 소득을 올리는 사람이 이 중에서 700만 원을 소비하고 300만 원을 저축한다면 이 사람의 소비성향은 0.7(소득 1,000만 원 중 700만 원 소비)이 되고, 저축성향은 0.3(소득 1,000만 원 중 300만 원 저축)이 됩니다. 이렇게 소비성향과 저축성향을 합치면 1이 됩니다.

한계소비성향이란?

　한계소비성향(Marginal Propensity to Consume)은 고정적으로 들어오는 소득 외에 추가로 벌어들이는 소득 중에서 소비로 지출하는 금액의 비율을 말합니다. 반대의 개념으로 한계저축성향이 있습니다. 소비성향 및 저축성향과 마찬가지로 한계소비성향과 한계저축성향을 합치면 1이 됩니다.

　한 달에 1,000만 원의 소득을 올리던 사람의 소득이 한시적으로 2,000만 원으로 늘어났을 때 추가로 발생한 소득인 1,000만 원에서 800만 원을 소비하고 나머지 200만 원을 저축하는 사람의 한계소비성향은 0.8(추가 소득 1,000만 원 중 800만 원 소비)이 되고, 한계저축성향은 0.2(추가 소득 1,000만 원 중 200만 원 저축)가 됩니다.

　일반적으로 한계소비성향은 고소득층에 비해 저소득층에서 높게 나타나는 경향이 있습니다. 저소득층의 경우, 소득이 늘어나게 되면 그동안 소득의 한계 때문에 소비하지 못하고 있던 부분에 대한 지출을 크게 늘리는 경향이 있기 때문입니다. 그리고 경기 흐름 측면에서 보면 인플레이션이 높을 때 한계소비성향이 평소보다 더 높게 나타납니다. 인플레이션이 발생하면 물가가 빠르게 오르기 때문에 저축하는 것보다는 생필품 같은 물건들을 미리 구매해 두는 것이 이득이기 때문에 많은 사람들의 행동이 소비적으로 바뀌게 됩니다.

한계소비성향과 직장인 돈 모으기

돈 못 모으는 직장인들의 공통적인 특징은 한계소비성향이 높다는 것입니다. 평소 급여에서 보너스 등의 이유로 추가 소득이 발생하면 뭔가 사고 싶은 것을 먼저 떠올리는 사람들이 있습니다.

제가 예전에 근무했던 회사는 전년도 사업 실적에 따라 개인 연봉의 최고 50%까지 사업부별로 보너스를 지급하는 제도가 있었는데, 몇 천만 원 정도의 금액을 한 번에 받게 되면 크게 세 부류로 사람들의 소비 패턴이 나뉘게 됩니다.

첫 번째 부류는 해당 금액 대부분을 한방에 크게 지르는 사람 (한계소비성향 0.9)

두 번째 부류는 일정 금액을 보상성 소비에 사용하고 나머지는 저축하는 사람 (한계소비성향 0.3)

세 번째 부류는 평상시의 소비 패턴을 유지하고 보너스는 모두 저축하는 사람 (한계소비성향 0)

저는 정확히 세 번째 부류의 사람이었던 것 같습니다.

(그림 10)은 제가 2004년부터 2023년까지 저의 소득과 지출 그래프입니다. 그래프를 보면 알 수 있듯이 소득은 꾸준히 늘어나지만

지출은 일정 규모를 유지하며 크게 늘어나지 않는 것을 알 수 있습니다. 사업을 하는 경우는 좀 다를 수 있지만 직장인이 돈을 모으는 방법은 이 틀에서 벗어날 수 없습니다.

소득/지출 그래프

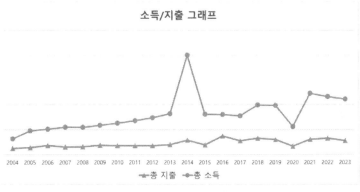

그림 10 소득/지출 그래프

급여가 늘어나거나 일시적인 추가 소득이 발생해도 평소의 소비 규모를 유지하는 습관 그리고 소득에 따라 필요한 소비를 고려하는 것이 아니라 필요한 소비가 있다면 필요한 시점에 지출하는 습관이 중요합니다.

돈을 모으겠다고 마음을 먹었다고 해서 돈을 전혀 안 쓰고 살 수는 없습니다. 사람이 살다 보면 경우에 따라서 큰돈을 써야 하는 경우도 생길 수 있습니다. 다만 중요한 것은 잠깐 큰돈을 만졌다고 해서 이를 소비와 연결 지어 생각하면 안 된다는 거입니다. 직장인이 돈을 모으기 위해서는 소비 규모를 유지하고 한계소비성향을 0

으로 만드는 게 매우 중요합니다. 소비는 나의 필요에 의해서 하는 것일 뿐 소득의 규모에 따르는 것이 아님을 기억해야 합니다.

08

사회 초년생 돈 관리 : 실패하더라도 스스로 하라

자기가 번 돈을 자기가 관리하는 게 어찌 보면 너무 당연한 일이지만 유독 우리나라는 자식이 아무리 나이가 들어도 부모의 관여가 과도한 편입니다. 우리나라는 전통적으로 '효'를 대단히 중요한 덕목으로 강조해왔기 때문에 자식은 당연히 부모를 따르고 공경해야 한다는 사상이 아직도 뿌리 깊게 남아있습니다. 부모를 공경하는 것이 잘못된 것은 아니지만 문제는 이런 사상으로 인해 나이 든 자식이 부모로부터 정서적인 독립을 하지 못하고 부모 또한 자식으로부터 영원히 독립하지 못하는 경우가 많다는 것입니다.

인간은 누구나 독립적인 존재로 살아가면서 주변 사람들과 적절한 사회적 관계를 맺는 것이 가장 건강하고 성숙한 자세이지만 유독 우리나라 부모와 자식 사이에는 각자의 개별화된 삶도, 정서적인 독립도 이루지 못한 채 양쪽 모두 미성숙한 상태로 나이 들어가는 경우가 많습니다. 사실 자식이 부모로부터 독립하는 것보다 부모가 자식으로부터 독립하는 것이 더 우선되어야 하는 중요한 부분이지만, 나에 대한 관여로부터 절대로 독립하지 못할 것 같은 부모를 가졌다면 자기 스스로라도 부모로부터 독립하기 위한 노력을 해야합니다.

누구나 알 만한 사건을 예로 들자면, 잘생긴 외모에 매너도 좋은모 개그맨이 가족과의 재산 갈등 문제로 소송을 하면서 일어났던 어이없는 일련의 상황들을 알고 있는 사람들이 많을 것입니다. 전국민이 다 아는 이 사건의 교훈은 돈 관리를 스스로 하지 않고 가족에게 전적으로 맡기는 것이야 말로 가장 많은 문제를 일으키는길이라는 것입니다. 해당 사건은 유명 연예인인 자식 한 명에게 빌붙어 평생 호사를 누리고 살았던 가족들의 태도가 문제인 것으로대중적인 결론이 나는 분위기이지만 그 연예인 자신도 독립적인 성인으로서는 너무 안일하게 인생을 살아왔다는 잘못 정도는 있을 것같습니다.

제가 사회생활 시작한 지도 어느새 20년이 훌쩍 넘었지만 처음회사에 취업했을 때 저희 아버지께서 하신 말씀이 아직도 기억납니다.

"월급 받으면 어머니께 다 드리고 용돈 받아써라. 어머니가 네가 번 돈 절대 허투루 쓸 사람 아니니 잘 모아줄 거다."

저는 그 말을 들은 체도 하지 않았습니다. 그 이유는 제가 어머니의 사람됨이나 성실함을 못 믿었기 때문이 아니라 평생 가난하게만 살아오신 분이 어떻게 돈을 관리하고 돈을 투자해야 할지에 대한 방법을 알 리가 없기 때문입니다. 자식이 대기업에 취업해서 비교적 큰돈을 벌기 시작하면 흥청망청 다 써버릴까 걱정도 있었겠지만 혹여 그렇다고 하더라도 그건 본인이 책임져야 할 문제이지 부모의 문제가 아닙니다.

부모로부터의 정서적 독립하라

사회 초년생이 돈 관리를 해나가기 위해서는 먼저 부모로부터의 정서적인 독립이 필요합니다. 앞서 예를 들었던 연예인은 50이 넘은 나이가 되어서야 부모로부터 정서적인 독립을 뼈아프게 하는 과정을 겪었다고 할 수 있습니다. 만일 그가 연예인으로서 생활을 처음 시작했던 젊은 시절부터 부모로부터 정서적인 독립을 했다면, 어쩌면 그의 가족 문제가 이렇게 비극적이고 볼썽사나운 상황까지 오지는 않았을 거라고 생각합니다.

반면에 요즘 전성기를 맞고 있는 K-Pop 시장의 성공한 아이돌

가수들 중에는 과거의 어린 연예인들에게서 찾아보기 어려운 성숙함을 가지고 있는 사람들도 많이 있습니다. 오디션으로 스타가 된 걸그룹 출신의 모 가수는 20대 후반의 나이임에도 본인이 번 돈은 본인이 다 관리한다고 방송에서 당당하게 말합니다. 어린 나이에 성공한 연예인들이 부모에게 전적으로 돈을 맡기면, 부모 입장에서 그 돈이 모두 자기 돈인 줄 알고 사업으로 말아먹는 경우가 워낙 빈번한 것을 알기 때문에 부모님께는 충분히 쓸 수 있도록 신용카드를 만들어 드리고 신용카드 결제 내역 알림은 항상 본인에게 온다고 말했던 것 같습니다.

어느 날 갑자기 너무 큰 결제 내역 알림이 오면 바로 아버지에게 전화해서 이렇게 말합니다.

"아빠 이건 좀 아니지 않아?"

자기가 일해서 돈을 버는 사회인으로서 매우 당당하면서도 지극히 정상적인 모습입니다.

나를 믿지 말고 시스템을 믿어라

두 번째는 자기 자신을 믿지 말고 시스템을 믿으라는 것입니다. 요즘 교육 시장에서도 '메타인지 (meta cognition)'에 대한 관심이 높습니다. 메타(meta)라는 단어는 '더 높은', '초월한'의 뜻을 나타내는 접두어입니다. 데이터를 분류하는 상위 데이터를 '메타 데이터'라 하고, 이미 검증된 과학적 결과들을 분석하여 연구하는 방법을 '메타 사이언스'라고도 합니다. 발달 심리학자인 존 플라벨(J. H. Flavell)에 의해 1970년대에 만들어진 용어로 '자신의 생각에 대해 판단하는 능력'을 말합니다. 메타인지는 자신의 인지적 활동에 대한 지식과 조절을 의미하며 내가 무엇을 배우거나 실행할 때 내가 아는 것과 모르는 것을 정확하게 파악할 수 있는 능력입니다.

메타인지가 높은 사람은 자신이 지킬 수 있는 원칙과 지키기 어려운 원칙에 대한 이해가 높지만 메타인지가 낮은 사람은 자신이 뭐든 할 수 있다고 생각하거나 반드시 원칙을 지킬 거라고 믿습니다. 메타인지가 낮은 사회 초년생이 '이제부터 월급을 모아서 올해 안에 종자돈을 만들겠다'고 선언해 봐야 여기저기 쓰다 보면 자신과 한 약속을 지키기 어렵습니다. 그러나 이에 대해 크게 자책할 필요는 별로 없는 이유가 대부분의 사람들이 스스로 절제하는 것이 쉽지 않기 때문에 시스템의 힘을 빌리는 것이기 때문입니다.

사회 초년생이 돈을 모으는 시스템이 바로 흔히 말하는 통장 쪼개기라고 할 수 있습니다. 통장 쪼개기는 돈의 사용 목적에 따라서 여러 개의 통장을 만들어 관리하는 방법을 말합니다.

1. 급여통장
매월 정기적으로 들어오는 돈을 관리하는 통장

2. 비상금 통장
비정기적인 수입과 예기치 않은 지출을 관리하기 위한 통장

3. 저축 / 투자 통장
미래를 대비하기 위해 돈을 모으는 통장

4. 생활비 통장
평소 생활을 위해 필요한 식비, 교통비 등을 관리하는 통장

이렇게 4가지 목적의 통장을 관리하는 것이 가장 잘 알려진 통장 쪼개기 방법입니다. 그러나 중요한 것은 반드시 4개의 통장으로 관리해야 한다는 것이 아니라 자기 자신의 의지를 믿지 말고 돈이 모이는 시스템을 만들고 그 시스템을 믿으라는 것입니다.

목적에 맞게 물리적으로 통장을 쪼개 놓는 것이 혼자서 원칙을 지키겠다고 아등바등하는 것에 비해 훨씬 더 목표에 도달할 가능성이 높습니다. 이는 부모와의 정서적인 독립 문제도 마찬가지입니다. 매일 가까이 붙어살면서 얽히고설켜서 결국 나의 성장이 항상 제자리걸음이라고 느낀다면 물리적으로 떨어져서 사는 편이 훨씬 더 나을 수도 있습니다.

09
신혼부부 돈 관리 : 사회적인 편견을 버려라

과거 전통적인 가정의 모습은 남편이 밖에서 일을 하고 아내는 집에서 살림, 육아, 가계 자산의 관리를 맡는 것이 보편적이었습니다. 오랜 시간 유지되어온 가부장적인 사회에서 지극히 자연스러운 분업의 결과라고도 할 수 있습니다. 요즘은 거의 사라졌지만 이런 이유로 남편을 '바깥양반'이라 부르고 아내를 '안사람'이라고 부르는 호칭도 있습니다. 이러한 역할 분담은 꽤나 효과적이고 효율적으로 유지되어 오기도 했습니다. 그러나 여기에는 과거 시대 여성의 사회 진출이 막혀 있던 억압적인 분위기로 인한 반 강제적인 부분도 분명히 존재합니다.

요즘은 여성과 남성이 동등하게 교육받고 동등하게 경력을 쌓아가기 때문에 결혼 후 돈 관리에 있어서 이런 전통적인 역할 분배가 의미 없어졌습니다. 오히려 아내가 전적으로 돈 관리를 해야 한다는 것 자체가 가부장적인 편견의 연장선이라고도 할 수 있습니다.

신혼 초기의 경제권

신혼 초에 첨예한 문제 중 하나가 누가 가계의 경제권을 가지는가 하는 부분입니다. 과거처럼 남녀의 역할이 분명할 때에는 크게 갈등의 소지가 없었겠지만 요즘같이 맞벌이 가구가 많은 경우 아주 민감한 문제가 될 수 있습니다.

남편과 아내가 돈 관리하는 방법을 몇 가지 경우의 수로 나누어 보겠습니다.

맞벌이

1. 부부 각자 자기 돈을 관리하고 필요한 공통 자금만 분담하는 경우
2. 부부의 수입을 통합해서 모으고 각자 필요한 용돈을 가져다 쓰는 경우
3. 부부 모두 돈을 벌지만 한 명이 모든 돈을 관리하고 배우자에

게 용돈을 주는 경우

외벌이

4. 전업주부가 가계 자금을 관리하고 돈을 버는 사람에게 용돈을 주는 경우
5. 돈을 버는 사람이 가계 자금도 관리하고 전업주부에게 생활비를 주는 경우

위 경우 중에서 4번이 가장 전통적인 관리 방법이지만 요즘은 많은 가구가 맞벌이 가구가 많기 때문에 1~3번인 경우가 대부분입니다.

돈 관리는 더 보수적인 사람이 해야

사실 어떤 것이 가장 좋은 방법이라고 말하려는 것은 아닙니다. 다만 모든 경우에 있어서 돈 관리는 좀 더 보수적인 사람이 해야 한다는 점이 중요합니다.

1. 부부 각자 자기 돈을 관리하고 필요한 공통 자금만 분담하는

경우

이 경우에도 가계 경제를 잘 유지하기 위해서는 좀 더 보수적인 사람이 상대방의 소비나 투자에 어느 정도 관여할 필요가 있습니다. 각자 번 돈이니 각자 알아서 쓰기로 하면 미래의 가계 경제 성장을 바라기 어렵습니다.

2. 부부의 수입을 통합해서 모으고 각자 필요한 용돈을 가져다 쓰는 경우

이 경우는 자연스럽게 통합된 자산을 주로 관리하는 사람이 생길 수밖에 없는데 마찬가지로 남편이 되었든 아내가 되었든 더 보수적인 사람이 이를 관리해야 합니다.

3. 부부 모두 돈을 벌지만 한 명이 모든 돈을 관리하고 배우자에게 용돈을 주는 경우

돈을 관리하는 사람이 부부 중 더 보수적인 사람이라면 큰 문제가 없지만 전통적인 성 역할에 대한 인식으로 아내가 무조건 관리해야 한다고 생각하면 문제가 생길 수 있습니다. 마찬가지로 둘 중에서 더 보수적인 사람이 관리해야 합니다.

4. 전업주부가 가계 자금을 관리하고 돈을 버는 사람에게 용돈을 주는 경우

전통적인 방법이지만 성별을 굳이 제외하고 얘기하는 이유는 반드시 전업주부가 여성이어야 한다는 것도 편견일 수 있기 때문입니다. 경제적으로 좀 더 보수적인 사람이 전업주부를 하고 사회적으로 좀 더 비전 있는 사람이 사회적 성장에 몰입할 때 좋은 분업이 될 수 있습니다.

5. 돈을 버는 사람이 가계 자금도 관리하고 전업주부에게 생활비를 주는 경우

이 경우는 전업주부의 역할이 너무 작아지기 때문에 좋은 분업이라고 말하기는 좀 어려울 것 같습니다. 전업 주부가 주부로서의 역할을 완벽하게 수행할 능력이 없어서 어쩔 수 없이 이런 역할 분담을 해야 한다면 돈 버는 사람 입장에서는 어지간히 피곤한 일일 수밖에 없습니다. 반대로 돈 버는 사람의 권위의식에 의한 것이라면 더 큰 문제입니다.

헤게모니(Hegemony)가 아닌 콜라보(Collabo)

위에 나열한 모든 경우에 있어서 자금 관리 방법을 설계하거나 투자를 결정하는 역할은 반드시 필요합니다. 단순히 경제적인 지식이 많다고 되는 것이 아니라 경제적인 부분에 있어서 보수적인 성향의 사람인 것이 더 중요합니다.

아무리 경제 지식이 많아도 투자에 있어서 실패는 누구나 겪을 수 있기 때문에 경제 지식이 더 적더라도 보수적인 사람의 승인과 동의 하의 가계 자금을 사용하는 절차가 필요합니다.

이것을 기업으로 비유하면 CEO(Chief Executive Officer)와 CFO(Chief Financial Officer)의 역할 정도로 생각하면 좋을 것 같습니다. CEO는 일을 벌이고 사업을 확장하는 것에 재능 있는 사람이 맡아야 하지만 CFO는 보수적으로 자금을 관리하고 안정적으로 재무를 유지해야 할 책임이 있습니다. CEO라고 하더라도 CFO의 승인을 받거나 적어도 CFO의 의견을 충분히 반영하여 사업을 해야 합니다.

미국의 메리어트 인터내셔널(Marriot International)은 1927년 9석의 음료 가판대로 처음 시작하여 현재의 거대한 호텔 사업 그룹으로 성장했습니다. 메리어트는 누구나 아는 호텔이지만 재무 관리에 있어서도 선구적인 기업으로 유명합니다.

메리어트에는 게리 윌슨 (Gary Wilson)과 스티븐 볼렌바흐(Stephen Bollenbach)라는 두 명의 전설적인 CFO가 있었습니다. 그들은 메리어트가 가능하면 최소한의 부동산만을 소유해야 한다는 원칙을 두고 별도의 소유자를 둔 호텔을 관리하고 가맹 사업화하는 재무 모델을 적용하여 현재의 메리어트를 키워냈습니다.

많은 호텔 개발자들이 더 많은 호텔을 지어 사업을 확장하는 데 엄청난 자금을 투자한 것과 반대로 메리어트는 아주 적은 자본으로 수수료 수익을 급격하게 올릴 수 있었습니다. 이처럼 재무 관리자의 역할은 CEO 만큼이나 중요합니다.

누구나 자금을 운용하고 사용할 때에는 눈치 볼 사람이 필요하고 이 역할을 하는 사람은 보수적인 성향을 가진 CFO의 역할이어야 합니다. 남편이 되었든 아내가 되었든 둘 중 한 명이 CEO와 CFO의 권한을 모두 가질 경우 가계 경제는 건강해지기 어렵습니다.

너무 거창한 비유일지 모르지만 '견제 받지 않는 권력은 필연적으로 부패한다'라는 말을 기억할 필요가 있습니다.

Chapter 03

재테크 마인드

Mind

당신이 부자가 되지 못하는 이유

주변 지인들은 저에게 '직장 생활하면서 현재 정도 자산을 모았다면 살면서 투자에 꽤 성공한 것 아니냐'고 말합니다. 그러나 경제에 눈을 뜨고 열심히 공부하며 달려온 기간에 비한다면 대단히 성공한 케이스로 보기는 어렵습니다. 그동안 시장이 여러 번의 기회를 주었음에도 불구하고 20년 노력의 결과로는 많이 부족하다고 생각합니다.

투자에 성공하지 못한 이유는 꽤 여러 가지로 생각해 볼 수 있습니다. 주식 투자의 경우를 돌이켜 생각해 보면 시장에서 믿을만한 전문가들이 이구동성으로 좋다고 한 종목들이 결과적으로 의미 있는 수익을 가져온 경우가 많았지만 당시에는 왠지 그 종목은 이미 너무 비싸서 가격 반영이 다 된 것 같고, 전문가들이 모두 매수하라고 말한 종목보다는 2, 3 등 주나 소외주, 당장은 주목받지 못하고 있는 섹터에 투자하는 나만의 고집을 부렸던 시기에 항상 좋지 못한 결과를 얻었습니다. 당시에는 이미 비싸진 주식에 올라타기보다 미래에 더 먹을거리가 많아 보이는 종목에 투자하는 것이 현명한 결정이라고 생각했으나 결국 시장은 항상 오르는 종목만 오르는 경우가 더 많았습니다.

부동산의 경우도 비슷한데 모두가 아파트 투자를 얘기할 때에도 수익형 부동산을 통해 안정적인 파이프라인을 빨리 구축하고 싶다는 생각에 내 집 마련보다는 오피스텔 매입을 통한 임대 소득을 얻는 것에 더 관심을 가졌었습니다. 현재는 내 집 마련도 한 상태이기 때문에 결과적인 상황에 대해서 스스로 만족은 하고 있지만 더 젊을 때부터 아파트 투자를 시작했다면 현재보다 훨씬 더 높은 수익을 맛보았을 것이 분명합니다.

레시피대로 요리하면 기본은 한다

투자 실패를 요리에 비유하자면, 인터넷만 검색해도 맛있는 레시피가 넘쳐나는 시대이지만 요리를 했다 하면 맛이 없어지는 사람들의 행동 패턴과 유사합니다.

요리에 경험이 별로 없는 사람들 중에서는 레시피를 참고해서 맛

있게 요리하는 사람과 똑같은 레시피로 요리를 해도 맛없게 요리하는 사람이 있습니다.

맛있게 요리하는 사람은 자신의 비 전문성과 경험 부족을 인정하고, 인터넷의 검증된 레시피를 정량대로, 정해진 시간만큼 정확히 조리하고 그대로 따라 하는 사람들입니다. 반면에 맛없게 요리하는 사람들은 검증된 레시피를 따라 하면서도 '나는 마늘을 좋아하니까 다진 마늘은 좀 더 듬뿍', '나는 당면을 좋아하니까 국물 넘치도록 당면을 한번 넣어보자' 하는 식입니다. 아마추어가 검증된 레시피를 지키지 않고 자기 해석대로 요리하면 결국 전체적인 맛의 밸런스를 잃게 됩니다.

모두가 부자 되는 방법을 알고 있다

투자에서는 항상 대중의 뒤안길에 꽃길이 있다는 말을 합니다. 이는 대중이 몰려들어 버블이 생기는 시기에 투자하지 말라는 의미입니다. 그러나 이 말을 잘못 해석하면 전문가나 경험자가 주는 정보를 무시하고 혼자만의 생각에 매몰되어 투자하는 경우가 생길 수 있습니다.

방법이 어떻든 간에 현대 사회에서 재테크를 통해 부를 쌓는 방법은 사실 고착되어 있습니다. 이러한 큰 흐름을 받아들이지 못하고 '이제부터는 투자의 패러다임이 바뀔 거야'라고 생각해 봐야 결과적으로는 똑같이 반복되는 실수를 다시 대면하게 될 뿐입니다. 아마도 제가 살아있는 생애에 이 패턴은 바뀌지 않을 것 같습니다.

투자 시장에서도 이미 검증된 수익 창출 방법이 수없이 많고, 성공의 경험을 통해 제발 이렇게만 따라 하라고 얘기하는 진정성 있는 전문가도 생각보다 꽤 많이 있습니다. 물론 진짜 전문가와 가짜 전문가를 구분하기 위한 공부와 노력은 필요하지만 한번 정한 방향이라면 의심을 가질 시간에 꾸준히 실천하는 것이 더 중요할 때가 많습니다.

평범한 일반인들이 투자에 실패하는 이유는 검증된 것들에 대해 의심을 가지고 혼자만의 아집을 부리거나, 짧은 시간동안 너무 큰 수익을 욕심내거나, 이미 방법은 정해져 있음에도 불구하고 끈기 있게 실천하지 못하기 때문인 경우가 대부분입니다.

결국 사람들이 부자가 되지 못하는 이유는 방법을 모르거나 정보가 부족해서가 아니라 너무 많은 의심과 너무 적은 의지를 가지고 있기 때문입니다.

방법만 공부하지 말고 실천하라

사회 초년생 때 주식과 펀드에 그때까지 모은 거의 전 재산을 투자했으나 서브 프라임 사태로 돈을 크게 잃고, 퇴근 후 매일 공립 도서관을 다니며 눈에 불을 켜고 주식과 재테크를 공부 한 시기가 있었습니다. 그때 읽은 책이 족히 백 여권은 될 것 같은데 그렇게 죽어라 책을 읽었음에도 불구하고 그 이후까지도 주식으로 크게 성공한 적은 없습니다.

이제 와서 곰곰이 생각해 보면 그때 왜 그렇게 많은 주식 투자의 위인들, 주식의 역사와 기술적 분석법들을 공부했나 싶습니다. 사실 그런 공부 자체가 상당히 재밌었던 건 사실이지만 주식 투자를 잘하려면 결국 현실에 있는 기업들의 정보, 즉, 경영자의 자질, 시대에 맞는 사업 아이템, 회사 운영 시스템 그리고 투자에 적절한 경제적 상황과 시황을 더 열심히 공부 했어야 한다는 생각이 듭니다.

기업을 공부하는 것이 국·영·수와 같은 교과목을 공부하는 것이라면, 워런 버핏, 피터 린치, 조지 소로스와 같은 위대한 투자자들의 일대기와 투자 마인드를 공부하는 것은 '서울대 수석 합격자가 쓴 공부 잘하는 법', '아이비리그 합격자가 쓴 내가 아이비리그에 합격한 방법' 같은 책들을 책상에 쌓아두고 입시 기간 내내 이것만 읽는 것과 비슷합니다.

공부를 잘하려면 이런 책들 한두 권 읽은 뒤, 정신 가다듬고 책상에 앉아서 교과목을 죽으라고 공부해야 합니다.

재테크에 있어서도 자기 자신의 마인드를 추스르기 위한 자기 계발 서적은 사실 몇 권만 읽으면 충분하고, 결국은 꾸준히 시도하고, 돈 벌고, 모으고, 투자를 경험하는 실천의 과정에서 얻어지는 공부가 훨씬 더 중요합니다. 젊은이라면 부자가 되는 방법을 알려준다는 정보를 따라다니는데 너무 많은 시간을 투자하지 말고 이제는 실천해야 합니다.

02

마켓 사이클의 법칙과 투자 공부

많은 사람들이 투자 실패를 경험하게 되면 책임을 전가할 대상을 찾게 됩니다. 주식을 권유한 펀드매니저가 그 대상이 될 수도 있고, 각종 온라인 게시판이나 유튜브에서 선동한 사람들이 될 수도 있습니다. 그러나 결국 모든 투자의 책임은 투자 당사자가 질 수밖에 없습니다. 펀드 계약서를 쓸 때도 투자의 책임은 모두 본인이 져야 한다고 나와 있지만 생각해 보면 참 비정한 자본주의의 모습이기는 합니다. 그렇기 때문에 이런 사람들에게 쉽게 휩쓸리지 않도록 항상 상승과 하락의 양쪽 주장에 모두 귀를 열어놓고 열심히 투자 공부를 하고 시기를 기다려야 합니다.

오르는 것은 반드시 떨어지고, 떨어지는 것은 반드시 오른다

모든 투자에는 사이클이 있습니다. 부동산과 주식도 마찬가지이고 넓게 보면 세상의 모든 것들이 계절과 같은 사이클을 가집니다.

2007년 연말에 고점을 찍은 미국 서브프라임 모기지 사태 시기의 주가 차트(그림 11)와 2021년 여름에 고점을 찍은 유동성 버블 시기의 주가 차트(그림 12)는 많이 닮아 있습니다.

오랜 시간의 횡보 이후 급격한 상승 그리고 손을 쓸 수 없는 갑작스러운 폭락이 120월 이동평균선까지 이어집니다. 2021년 이후 코로나 팬데믹으로 경제적인 어려움을 겪은 사람들이 많겠지만 정말 많은 사람들이 그 시기에 돈을 벌었습니다. 개인적으로도 상당 부분의 자산 증가가 있던 시기이기도 합니다. 저는 코로나 유동성 버블 시기에 돈을 많이 번 사람들 중 대다수가 서브 프라임 사태를 겪어본 사람들일 것이라고 추측합니다.

과거를 보면 현재를 알 수 있고 현재는 곧 미래의 과거이기 때문에 최악의 시기에 공부한 것들은 다시 돌아올 투자 사이클에서 중요한 경험이 될 수 있습니다.

그림 11 2007년 서브 프라임 시기의 KOSPI 차트

그림 12 2021년 코로나 유동성 버블 시기의 KOSPI 차트

2007년과 2021년 사이에는 14년이라는 시차가 있고 동일한 탐욕과 동일한 공포가 있었던 시기이지만 2007년은 종합주가지수가 2,085에서 892로 낙하하는 공포였고 2021년은 3,316에서 2,135로 낙하하는 공포였습니다. 돌이켜보면 2021년에 공포를 준 최저점이 사실은 2007년의 최고점보다도 높습니다.

마켓은 항상 우 상향해 왔지만 그 과정에서 투자자에게 탐욕과 희망과 공포의 감정을 반복적으로 경험하게 합니다. 이러한 시장의 사이클을 이해하기 위해 '하워드 막스'가 쓴 '투자와 마켓 사이클의 법칙'이라는 책을 읽어보면 좋습니다.

하워드 막스는 미국 부실채권 사모펀드사인 오크트리캐피털(Oaktree Capital)사의 공동 창업자이자 회장직을 맡고 있으며 투자의 귀재로 불리는 사람이기도 합니다. 그는 시장이 좋을 때는 관망하다가 환경이 악화되면 공격적으로 투자하는 시장역행투자자(contrarian)로 유명한데 그와 같은 투자 사이클을 그대로 따라 할 수는 없겠지만 반복적인 사이클에서 살아남는 방법을 공부하는 것은 매우 중요합니다.

내 집 마련과 영끌족

한동안 영끌족(영혼까지 돈을 끌어모았다는 뜻)이라는 말이 뉴스를 도배한 시기가 있었는데 부동산 하락기에는 이런 영끌족들이 큰 고통을 받게 됩니다. 그러나 오래전에 하우스푸어가 됐다고 하소연하던 저의 지인도 그 시기를 버텨낸 후에는 집을 사지 않은 사람들보다 결과적으로 훨씬 안정적인 자산을 형성할 수 있었고 그때 집을 사지 않았던 저는 그들을 부러워해야 했던 시기도 있습니다.

집을 사기로 결정했다면 집값이 오르든 떨어지든 대출한 돈의 원리금을 갚는 건 변함이 없습니다. 집값이 오르면 안도하며 기분 좋게 갚아 나가겠지만 집값이 떨어지니 갚으면서도 억울할 노릇입니다. 여기에 금리까지 인상되면 이중으로 힘들어지는 상황을 맞이하게 됩니다. 그러나 모든 시장이 상승과 하락을 반복하듯이 금리 상승도 끝이 있게 마련이고 언젠가는 떨어지게 됩니다. 그리고 내가 매입한 부동산에 대해서도 다시 한번 냉정하게 평가하고 미래 가치에 대해 공부해 봐야 합니다. 어느 정도의 미래 가치만 담보된다면 집값도 마찬가지로 상승과 하락을 반복하면서 결국 우 상향할 수밖에 없습니다.

모든 투자의 책임은 투자자의 몫이듯 결국 주변에서 정답을 알려주는 사람 같은 건 없을 테니 어차피 스스로 공부해야 한다는 생각을 가지고 열심히 투자 공부를 해 나가길 바랍니다.

03

월급쟁이 재테크는 속도보다 방향이다

요즘 경제적인 부를 쫓는 사람들의 관심 기준은 어떻게 하면 한 달에 천만 원을 벌 수 있나라는 것입니다. 제가 처음 재테크를 시작할 때에는 10억 열풍이 불어서 '10in10'이 크게 유행했습니다. 지금도 운영되고 있는 다음의 텐인텐 카페는 회원 수가 70만 명이 넘는 대형 카페이고 처음 시작되었을 당시에는 10억 원 만들기 열풍이 뉴스에서 소개될 정도로 화제였습니다. '10in10'은 10년 동안 10억 모아서 경제적 자유를 이루자는 의미입니다. 지금 10억이면 사실 경제적 자유를 이루기에는 턱없이 부족한 액수라고 생각될 수 있지만 카페가 개설된 해가 2001년이라는 점을 고려해 보면 수긍이 가는 액수입니다. 저도 이 카페에 가입해서 여러 사람들에게 재테크와 관련된 많은 도움을 받았던 기억이 있습니다.

10년이라는 시간

한 달에 천만 원을 버는 것과 '10in10'을 비교하면 월 기준과 10년 기준이라는 큰 차이가 보입니다. 어쩌면 요즘 사람들이 기대하고 원하는 자산 형성의 기간이 예전 사람들에 비해 꽤나 짧아진 게 아닌가라는 생각이 들기도 합니다. 그러나 남들이 월 천만 원 이상을 번다는 사실에 너무 신경 쓰지는 않았으면 합니다. 특히 젊을 때일수록 너무 짧은 기간에 성과를 내려고 하지 말고 좀 더 긴 호흡으로 삶을 바라봐야 합니다.

요즘은 영리치들이 많아져서 20~30대에도 많은 돈을 벌고 자산을 모은 경우도 쉽게 볼 수 있지만 평범한 보통 사람이 직장 생활하는 것을 기준으로 얘기하자면 조금은 길게 생각하고 성과를 내야 합니다. 20대에 직장 생활을 시작해서 대략 20년 정도 자기 분야에서 열심히 노력을 한다면 40, 50대에 월 1,000만 원 정도를 버는 것이 아주 어려운 일은 아닙니다. 문제는 지금 바로 천만 원을 벌고 싶다는 것일 텐데, 이 시기를 조금이라도 앞당기는 방법은 월급에 더해서 자본 소득을 꾸준히 늘려 나가는 방법이 있습니다.

30대에게 급여 소득의 의미

직장 생활을 오래한 저의 경우도 생활비를 충당할 정도의 자본 소득을 만들게 된 시기가 그리 오래되지는 않습니다. 자본 소득이 조금씩 늘어나던 지난한 과거의 시간들을 돌아보면 급여 소득이 늘어난 속도는 이에 비해 훨씬 더 빨랐습니다. 자본 소득을 꾸준히 늘려가는 것도 중요하지만 직장인이라면 30대에 자기 몸값을 최대한 끌어올리려는 노력이 매우 중요합니다. 가끔 재테크에 밝은 사람들이 직장 생활은 대충 하고 투자에 집중하는 것이 훨씬 영리한 것이라는 이야기를 하는데 저는 전문 투자가로 전업할 것이 아니라면 절대로 자기가 일하는 분야에 대한 전문성을 놓아서는 안된다고 생각하는 편입니다.

경제적인 마인드만 빨리 깨우친다면 직장 생활 잘하는 사람이 결국 투자도 잘합니다. 사람이 하는 일이라는 것이 맥락상 크게 다르지 않기 때문입니다. '하나는 대충 하고 다른 하나를 잘해야지'라고 생각하는 사람보다 '둘 다 잘 해내야지'라고 생각하는 사람이 복잡계의 현대 사회에서 성공을 잡을 확률이 더 높습니다.

전문 투자가가 아니라면 자기 분야의 전문가가 되어 급여 소득을 늘리는 것이 자본 소득을 늘리는 것보다 빠르기도 하고(적어도 30대에는) 자본 소득을 만드는 기초가 되는 것이 결국 급여 소득이기 때문입니다. 양쪽 다 잘하기는 어렵다고 생각할 수 있지만 둘 다 잘할 수 있도록 노력하는 과정은 분명히 중요한 것입니다.

40대에게 자본 소득의 의미

저는 비 정기적인 몇몇 소득을 제외하고, 한 달에 4번의 고정 소득이 들어오는데 이 중 3개가 자본 소득이고 한 개가 급여 소득입니다. 저도 꽤 많은 연봉을 받던 사람이었기 때문에 여전히 자본 소득보다는 급여 소득이 많지만 지금은 급여 소득보다 자본 소득이 들어올 때 더 큰 만족감을 느낍니다.

급여는 내가 한 달 동안 일한 것에 대한 대가이지만, 자본소득은 20년 노력한 것에 대한 결과이기 때문인 것 같습니다. 또한 노동 소득은 앞으로 몇 년간 더 받게 될지 알 수 없지만 자본 소득은 앞으로 더 늘어날 것이라 믿고 있으며 노동을 멈추어도 계속 들어올 테니까요.

개인적으로는 30대에는 노동 소득과 직업적 성장에 좀 더 비중을 두고 40대 이후에는 30대까지 모은 종잣돈을 바탕으로 자본 소득 포트폴리오를 본격적으로 구성하는 것이 이상적이지 않을까 생각됩니다.

속도보다는 방향이 중요하다

너무 빠른 성공에 집착하지 말고 결심한 방향을 꾸준히 밀고 나가면 언젠가는 원하는 목표에 도달할 수 있습니다. 꾸준히 하다 보면 과정에서 새롭게 깨닫는 것들이 생기기 때문에 목표라는 것도 충분히 변할 수밖에 없습니다. 문제는 시도하지 않는 것이지 무엇인가 열심히 하고 있다면 인간은 분명히 발전할 수밖에 없습니다.

제가 대학교 1학년 때 한 노 교수님께서 "사람은 성공의 정점을 50대 중반 정도로 잡는 게 좋다."라는 이야기를 한 적이 있습니다. 너무 빨리 성공해도 행복하지 않고, 너무 늦게 성공하면 지치고, 50대 중반 정도까지 점진적으로 올라가서 성공에 도달한 후 서서히 노년을 맞이하는 게 사회적인 나이로 봤을 때 가장 행복하다는 말을 들었었는데 제가 그 말을 아직도 기억하고 있는 걸 보면 꽤나 마음에 와닿았던 모양입니다.

저도 여전히 갈 길이 멀다고 생각하지만 방향을 잡았으니 서두르지는 않으려고 합니다. 살면서 속도보다는 방향이 중요하다는 것을 정말 여러 번 느꼈기 때문입니다.

투자자로서 가져야 할 덕목

자본주의 사회에서 노동 소득만으로 부를 이루기 어렵다는 것은 누구나 인정하는 사실입니다. 사업으로 크게 성공하는 경우가 아니라면 결국 노동 소득으로 시드 머니(seed money)를 모으고, 레버리지(leverage)를 활용한 투자로 부를 증가시키는 것이 일반적인 사람들이 부자로 갈 수 있는 공통적인 과정입니다. 이러한 과정에서 성공적으로 살아남기 위해 가져야 할 투자자로서의 덕목은 무엇이 있을까요?

저는 오랫동안 조직 생활을 하면서 정말 많은 사람들과 협업을 해봤고, 수많은 사회 초년생들의 면접을 봐 왔습니다. 이렇게 만나 본 사람들 중에서 제가 가장 답답하게 생각하는 사람은 자기 자신의 가능성을 너무 과대평가하는 사람들이었습니다.

"知之爲知之 不知爲不知 是知也"
(지지위지지 부지위부지 시지야)

"아는 것을 안다고 하고 모르는 것을 모른다고 하는 것, 그것이
곧 앎이다."

공자가 논어에서 한 이 말은 메타인지에 대해 정확하게 설명하고
있는 격언입니다. 요즘 모든 성공에 있어 가장 강조되는 것이 메타
인지에 대한 부분인데 투자에 있어서도 메타인지는 매우 중요합니
다.

메타인지와 관련된 개념으로 더닝-크루거 효과(Dunning-Kruger
effect)라는 것이 있습니다. 더닝 크루거 효과는 인지 편향 중 하나
로, 코넬 대학교 사회심리학 교수 데이비드 더닝(David Dunning)과
대학원생 저스틴 크루거(Justin Kruger)가 코넬 대학교 학부생들을
대상으로 실험한 결과를 토대로 제안한 이론입니다. 특정 분야에
대해 조금 아는 사람은 자신의 능력을 과대평가하는 경향이 있는
반면 적당히 유능한 사람은 자신의 능력을 과소평가하는 경향이 있
다는 것이 이 이론의 요지입니다.

메타 인지가 높은 사람은 내가 지금 부족한 부분을 꾸준히 채우

고 노력해야 성공할 수 있고 돈도 벌 수 있다는 것을 알지만 메타 인지가 낮은 사람은 과도한 자신감으로 공부를 게을리하거나 극도의 소심함으로 투자 시장에 진입하지 못하는 경우가 생길 수 있습니다. 자신의 부족함을 정확히 인지하고 끊임없이 공부하며 능력을 키워야 투자에 성공할 가능성이 높아집니다.

투자자가 가져야 할 덕목

개인적으로 투자를 통해 큰 성공을 거두었다고 하기 보다는 성실함과 꾸준함으로 자산을 쌓아 올린 편이지만, 오랜 경험에 비추어 볼 때 투자자로서 갖추어야 할 덕목은 분명합니다.

'공부'

더닝-크루거 효과처럼 얕게 아는 사람들이 가장 무섭기 때문에 부족함을 알고 끊임없이 공부하는 자세가 기본이 되어야 합니다. 잠깐 공부해서 공부한 것을 적용하겠다는 생각보다는 평생 공부한다는 마음가짐으로 접근하는 것이 좋습니다.

'경험'

공부를 많이 하면 오히려 두려움이 많아지는데 이를 극복할 수 있는 것은 이론과 실전의 밸런스입니다. 경제학자가 될 것이 아니라면 이론적인 공부를 한 만큼 실전을 통해 경험을 쌓아가야 자신감과 감각을 잃지 않게 됩니다.

'인내'

초심자의 행운으로 큰 성공을 경험한 사람들은 예외 없이 큰 투자 실패가 뒤따르게 됩니다. 이때 투자를 포기하게 된다면 오히려 투자 이전보다도 못한 상황이 될 수 있습니다. 주가가 한창 버블일 때 마치 주식 전문가인 것처럼 얘기하던 사람들이 폭락을 한번 경험하고 나면 다시는 주식을 쳐다도 안 본다는 얘기를 많이 합니다. 그러나 실패의 경험을 버리기보다는 인내력을 가지고 다음에 올 기회를 준비하는 자세가 필요합니다. 어떤 투자가 되었든 일반적으로 10년에서 15년 주기로 큰 기회가 오기 때문에 인내심을 가지고 다음 투자의 파도를 기다리는 자세가 필요합니다.

'용기'

큰 성공을 위해서는 경우에 따라서 과감하게 베팅할 줄 아는 용기가 필요합니다. 개인적으로도 지금 이 시점에 투자하고 기다리면 무조건 성공할 것을 잘 알면서도 과감하게 투자하지 못하고 파도를 지나친 경험이 여러 번 있습니다. 무식해서 용감한 게 아니라 충분히 알고 충분한 경험을 가지고 있어도 항상 두려운 것이 투자 시장이다 보니 이를 극복할 수 있는 용기가 매우 필요합니다.

사회 초년생들이 투자에 실패하는 이유

저는 청년기나 사회 초년생 시기에 투자에 크게 성공했다는 사람을 아직 한 번도 만나보지 못했습니다. 그도 그럴 것이 비트코인으로 대박을 내고 대기업을 그만뒀다는 청년 투자 신화는 신문에 나올 정도로 희귀한 하나의 사건이기 때문입니다.

단지 큰 성공을 얻지 못한 것은 고사하고, 청년기에 투자에 조금이라도 성공했다는 사람보다 투자에 크게 실패했다는 사람이 수적으로도 훨씬 더 많습니다.

그들이 실패하는 과정을 따라가 보면, 초심자의 행운으로 달콤한 첫 수익을 얻고, 성공에 심취하여 아무런 공부 없이 과감하게 투자금을 늘리며, 투자 실적이 마이너스 수익률을 기록하는 단계가 되면 물타기를 통해 손실의 규모를 키웁니다. 그리고 오랜 존버의 시간이 지난 후에는 결국 자신의 투자 실패를 현실로 받아들이고 다시는 투자 시장을 쳐다보지도 않겠다고 다짐합니다.

역사적으로 모든 개인 투자자는 이러한 실패의 과정을 거쳤으며 그 과정을 딛고 일어선 소수의 사람들만이 성공의 값진 열매를 얻을 수 있었습니다.

흔들리지 않는 투자자 되기

저는 직장에서의 본업과 함께 부동산 임대업을 병행해 오고 있습니다. 우리나라의 부동산 투자는 대부분 아파트를 이용한 시세차익에 집중되어 있기 때문에 오피스텔을 사는 것에 대해 부정적인 의견을 쉽게 찾아볼 수 있습니다. 더욱이 부동산이 폭등과 폭락을 거듭하면서 수년 간 오피스텔과 관련한 기사를 단 한 번도 본 적이 없는데 어느 날 오피스텔 월세 임대가 다시 효자 상품이 되었다는 기사를 접하게 되었습니다. 오피스텔 임대업을 하는 입장에서 이런 긍정적인 기사 한 줄이 기분 나쁠 리는 없지만 투자에 있어서 이런 기사 하나에 부화뇌동하고 일희일비해서는 안 된다는 이야기를 하고 싶습니다.

뉴스 기사는 정보를 알려주는 역할을 하기도 하지만 여론을 조성하거나 선동하는 역할을 하기도 합니다. 수년 동안 오피스텔에 투자하면 망한다거나 오피스텔을 가진 사람들의 고민이 이만저만이 아니라는 기사가 수도 없이 쏟아져도 개인적으로는 전혀 체감되지 않는 이야기들이었습니다. 대출 없이 가지고 있는 오피스텔에서 매달 또박또박 월세가 나오고, 세입자가 나가면 공실 없이 바로 다른 세입자를 구할 수 있는 상황에 전혀 변화가 없는데 이런 기사에 일희일비할 이유가 없기 때문입니다. 뉴스에서 어떤 투자 상품이 인기라고 하면 그 상품을 바로 매입하고, 또 어떤 투자 상품이 위기라고 하면 그 상품을 매도해 버리는 것으로는 절대로 돈을 벌 수가 없습니다.

사회 초년생 때 주식 투자를 공부하고 꾸준히 투자하던 시절에 제가 매번 돈을 잃고 같은 실수를 반복했던 이유도 쏟아지는 뉴스 기사에 일희일비하고 휘둘렸었기 때문입니다. 그래서 투자를 할 때에는 나만의 투자 원칙과 투자 주기를 지키는 것이 매우 중요합니다.

성공하는 투자자의 투자 주기

과거에 주식투자를 시작했을 때 백전백패였던 이유는 성공하는 투자자의 투자 주기가 아닌 실패하는 투자자의 투자 주기를 따랐었기 때문입니다. 실패하는 투자자의 주기는 뉴스에서 장밋빛 미래에 대한 기사가 쏟아져 나올 때 희망을 가지고 매수하여 뉴스에서 절망적인 기사가 쏟아져 나올 때 눈물을 머금고 매도하는 주기입니다. (그림 13)

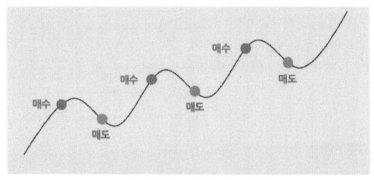

그림 13 실패하는 투자자의 투자 주기

반면에 성공하는 투자자의 투자 주기는 시장의 바닥을 확인하고 매수하여 시장의 천정을 확인하고 매도하는 주기입니다. (그림 14)

너무나 당연한 이야기지만 이게 말처럼 쉽게 되지 않는 이유는 시장의 분위기와 뉴스에 휩쓸리지 않는 자신만의 투자 중심을 갖는 것이 매우 어렵기 때문입니다. 이러한 주기에 몸을 싣기 위해서는 여러 번의 시행착오를 거치고, 오랜 시간을 통해서만 얻을 수 있는 경험 자산을 쌓아야 합니다.

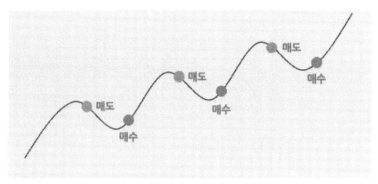

그림 14 성공하는 투자자의 투자 주기

　그리고 투자라는 것이 반드시 시세 차익을 통해서만 수익을 얻을 수 있는 것도 아닙니다. 시세가 크게 변하지 않는 상품을 매수하고 장기간 보유하면서 일정 수준의 수익을 꾸준히 얻는 방법도 있습니다. (그림 15) 주식투자로 치면 배당주 투자가 그렇고 부동산 투자로 치면 수익형 부동산 투자로 임대 수익을 얻는 것이 이런 경우입니다.

　매매를 통해 큰 시세 차익을 얻기 위한 목적이 아니라 꾸준하고 안정적인 현금 흐름을 만들기 위한 투자의 형태이기 때문에 예금이나 채권 상품에 가입하는 것도 이런 유형의 투자 중 하나라고 할 수 있습니다.

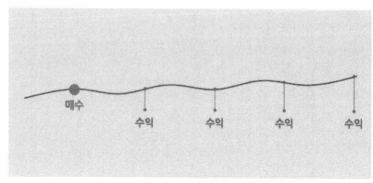

그림 15 배당형 투자 주기

흔들리지 않는 투자의 조건

매번 뉴스 기사나 시장의 분위기에 흔들리며 시장에서 돈을 잃지 않기 위해서는 몇 가지 기억해야 할 것들이 있습니다.

첫 번째는 본질에 충실한 투자를 해야 한다는 것입니다.

오피스텔과 같은 수익형 부동산을 통해 안정적인 임대 수익을 목적으로 한다면 시세 차익을 기대하지 말고, 시세 차익을 기대한다면 입지 좋은 곳의 아파트를 타이밍에 맞게 매수하고 매도해야 합니다. 주식 투자도 이와 마찬가지로 안정적인 배당 수익을 얻고자 한다면 시세 차익을 기대하지 말고 높은 시세 차익을 기대한다면 이슈가 있는 종목을 기술적으로 트레이딩 해야 합니다.

완전히 다른 성격의 투자 상품인데 본질에 충실한 투자를 하지 않고 다른 방향의 욕심을 낼 경우 잘못된 상품을 매수할 가능성이 높아집니다. 시세 차익을 바라기 어려운 오피스텔과 같은 수익형 부동산 상품을 매수하고 나서 부동산 경기가 어려워졌을 때 처분하지 못해 고통을 겪는 투자자라면 애초에 투자의 본질이 잘못된 것은 아닌지 돌아봐야 할 필요가 있습니다.

두 번째는 여윳돈을 가지고 투자해야 한다는 것입니다.

실패하는 투자자의 투자 주기와 성공하는 투자자의 투자 주기를 만드는 여러 이유 중에서 얼마나 여유 있게 투자 자금을 운용할 수 있는지도 큰 비중을 차지합니다. 내가 투자한 자금이 전 재산에 가까운 돈이라면 고점에서 더 많은 탐욕을 부릴 수밖에 없고, 저점에서 더 많은 공포를 느낄 수밖에 없습니다. 투자의 주기를 정확히 맞추기는 매우 어려운 일이기 때문에 여유 있게 시장을 관망하고 기다리기 위해서는 감당할 수 있는 수준의 투자를 하는 것이 필요합니다. 투자에 있어서 레버리지의 활용도 중요하지만 감당할 수 없는 수준의 레버리지 활용은 이성적인 판단을 흐리게 할 수밖에 없습니다.

세 번째는 역사가 반복될 것이라는 강한 믿음입니다.

투자에 있어서 경험이 중요한 이유는 투자의 역사가 반드시 반복될 거라는 믿음의 강도 때문입니다.

역사적으로 수많은 경제 위기가 있었지만 시장에 진입한 투자자가 처음으로 맞는 경제 위기에서 의연한 마음을 갖는 것은 대단히 어려운 일입니다. 아무리 공부를 많이 하고 시장에 진입했다고 해도 매번 위기 상황마다 이번의 위기는 과거와 완전히 다르다는 절망적인 뉴스가 쏟아질 가능성이 매우 높기 때문입니다.

　우리나라의 큰 투자기회를 말한다면 1997년 외환 위기, 2007년 서브프라임 모기지 사태, 2019년 코로나 팬데믹 위기를 들 수 있습니다. 모든 위기가 거대한 폭락 이후 응축된 자본에 기반한 큰 상승을 가져왔지만 외환 위기 시절에는 대한민국이라는 나라가 부도나 버릴 것이라는 두려움이 있었고, 서브프라임 모기지 사태는 전세계 모든 국가의 자본 시장이 망가져 버릴 것만 같은 위기 의식이 지배적이었습니다. 마지막 코로나 팬데믹은 현대 인류가 처음 겪어보는 자연재해로 인한 위기였기 때문에 어떤 위기 상황에서도 희망을 발견하는 것은 쉽지 않은 일이었습니다. 그러나 시장은 또다시 반등하고 일어서는 과정을 거쳐 왔습니다.

　실패하는 투자자의 투자 주기에서 성공하는 투자자의 투자 주기로 이동하기 위해서는 비록 이번 기회는 놓쳤지만 기회는 반드시 다시 돌아온다는 강한 믿음을 가지고 버틸 수 있는 마음가짐이 필요합니다.

06

과시적 심리와 재테크 마인드

전시효과(demonstration effect)는 주변 사람들이 돈을 많이 쓰고 화려한 소비를 하면 그것에 영향을 받아 모방하고 싶어 하는 성향을 말합니다. 미국의 경제학자 제임스 듀젠베리(James S. Duesenberry)가 처음 사용한 용어로 과시효과, 시위효과, 데모효과, 모방소비라는 용어로도 사용되곤 합니다. 과거에는 이런 소비 현상이 신문, 방송, 영화 등의 매스컴이나 기업의 광고에 의해 큰 영향을 받지만 요즘의 경우에는 인스타그램과 같은 SNS(Social Network Service)에 의한 영향이 가장 커지고 있습니다.

전시효과와 유사한 현상으로 가격이 오르고 있음에도 불구하고 특정 계층의 허영심이나 과시욕으로 인해 수요가 줄어들지 않고 오히려 증가하는 경제 현상을 베블런 효과(veblen effect)라고 합니다. 미국의 사회경제학자인 소스타인 베블런(Thorstein Bunde Veblen)이 자신의 저서인 '유한계급론'에서 설명한 개념으로, 부유층에 속한 사람이 자신의 사회적 지위를 유지하거나 자신을 대중에게 알리기 위해 과시적 소비를 하기 때문에 이러한 소비가 생산성 향상이나 발전에 도움이 되기보다는 단순히 '소비' 자체에 머무른다고 비판하기도 했습니다.

전시효과와 베블런 효과 모두 남들보다 좀 더 우월해 보이거나 남들에게 뒤처지지 않고 싶어 하는 심리가 기저에 깔려 있다고 할 수 있습니다.

과시욕과 재테크 마인드

소비는 전적으로 개인의 소득수준과 개인적인 판단에 따른 것처럼 보이지만 실제로는 자신이 속해 있는 사회의 사람들로부터 영향을 많이 받습니다. 남들과 비교를 통해 주변인의 소비 행태를 따라 하다 보면 개인의 소득 수준을 넘어서는 소비를 하는 경우가 생기게 되는데 소비에 있어서는 가장 좋지 못한 성향이라고 할 수 있습니다.

자동차가 필요 없는 사람도 주변의 친구들이 차를 가지고 다니면 자극을 받아 구매하고 싶은 마음이 생기고, 친구들이 명품 가방을 가지고 있으면 따라서 구매하고 싶어 지는 것이 사람의 심리입니다. 그리고 그 상품의 가격이 비싸면 비쌀수록 더 가치 있다고 생각하는 허영심과 과시욕이 발생하게 됩니다. 요즘 SNS 세상 속의 사람들은 모두 럭셔리 하게 사는 것과 같은 착각을 하게 되는데 가까운 친구 중에 그런 과시에 집착하는 사람이 있다면 부러워할 게 아니라 불쌍하게 생각해야 합니다.

어떤 사람이 골프장에 가는데 골프 장비 외에 큰 가방 하나를 들고 갑니다. 가방 안에는 미리 챙겨간 여러 가지 골프복들이 들어있었는데 그 사람은 필드에서 골프를 치는 것이 아니라 여러 옷들을 갈아입어가면서 사진을 찍기만 하고 돌아갔다고 합니다. 그리고 인스타그램에 매일 골프장에 다니는 것처럼 하루에 몇 장씩 업로드 했다는 일화가 있습니다. 이 얼마나 쓸모없는 짓인가요?

소비하기 좋아하고 과시하기 좋아하는 친구들은 내가 돈 좀 벌었다는 소식을 듣게 되면 상당히 높은 확률로 돈 빌려달라는 연락을 합니다. 소비의 과시는 부의 결과가 아니라 낮은 자존감과 열등의식이 외부로 발현되는 것일 뿐입니다.

진짜 부자들은 이런 식의 과시를 하지 않습니다. 돈이 많은 사람은 특별히 과시하지 않아도 경제적인 부분에 대해서 자존감이 높기 때문에 이렇게 할 필요를 느끼지 못합니다. 그리고 어줍지 않게 재력 과시를 하게 되면 남들에게 빌미를 주게 되어, 주변에 돈 빌려

달라거나 어디에 투자해 보라고 권유하는 파리떼만 꼬이게 마련입니다.

　남에게 돈 자랑을 하는 경우는 정확히 두 가지 밖에 없습니다. 자존감이 엄청나게 낮거나, 사기 치기 위해 밑밥을 깔아야 하거나.
　소셜 미디어에 화려한 집에 사는 것을 자랑하거나 주차장에 줄지어 서있는 명품 차량들을 자랑하던 대부분의 사람들이 어떤 결말을 맞았는지 우리는 뉴스와 기사를 통해서 수도 없이 접해왔습니다.

07

래칫효과와 재테크 마인드

래칫(rachet)은 한 방향으로만 움직이고 뒤로는 갈 수 없는 톱니바퀴를 의미합니다. 래칫효과(rachet effect)라고 하면 일반적으로는 소비행동에 대해서 말할 때 주로 인용되는 현상으로, 소득 수준이 높아진 상황에서 늘어나버린 소비성향은 마치 한 방향으로 움직이는 톱니바퀴처럼 소득수준이 낮아져도 줄어들기 어렵다는 점을 설명할 때 주로 사용됩니다.

합리적인 소비라고 한다면 그때 당시의 소득 수준에 의존하는 것이 당연하지만 현실에서는 과거에 소득이 높았을 때의 소비 규모가 그 후 소득이 낮아졌다고 해서 그만큼 줄어들지 않는 경향이 있습니다. 이러한 현상은 소비라는 것이 소비자의 습관에 크게 의존하기 때문에 발생합니다.

래칫 효과는 하방 경직성을 가지는 경제적 효과를 포괄하는 말로도 활용됩니다. 회사의 사장이 직원의 월급을 올려 주기는 쉽지만 내리는 것은 매우 어려운 현상, 혹은 기업이 목표를 세울 때 목표를 너무 높게 잡으면 다시 본래 상태로 복귀하기 어렵기 때문에 성과를 낮게 잡으려고 하는 현상들도 모두 포함합니다.

래칫효과와 재테크 마인드

사회 초년생이 첫 직장을 구해서 급여를 받기 시작하면 그동안 취업 준비로 고생하며 받은 설움이 있으니 '이번 달만 쓰고 싶은 대로 쓰고 다음 달부터는 절약 해야지'라고 마음먹는 경우가 많습니다. 그러나 막상 다음 달이 되면 이전 달에 소비했던 만족감이나 행복감을 잊지 못하고 동일한 규모의 소비를 하게 될 수 있기 때문에 돈을 모으겠다는 생각을 가지고 있다면 지금 당장 시작하는 것이 좋습니다.

직장인이 돈을 모으는 가장 확실한 방법은 소비를 유지하고 급여를 올려가는 것입니다. 그러나 대부분의 직장인들은 경력이 쌓이고 급여가 높아지면 자연스럽게 소비가 늘어나는 경향이 있습니다. 주변의 친구들도 나이와 경력이 쌓이면서 향유하는 문화의 수준이 달라지기 때문에 여기에 맞춰가는 경우도 많습니다. 어릴 때는 허름한 주점에서 소주나 마시며 모임을 하던 친구들이 점점 고급 주점을 선호하게 되고 와인이나 양주를 더 선호하게 됩니다. 여기에 친구들이 캠핑이나 골프 등 다양한 취미 활동까지 시작하게 되면 나만 혼자 예전의 생활을 유지하는 것이 쉽지는 않습니다. 그래서 돈을 모으기 위해서는 생각보다 높은 수준의 자기관리가 필요한 것입니다.

대부분의 직장인이 사회생활 초기의 소비 수준을 유지하는 습관을 들이면 사실 돈은 쌓이지 않을 수가 없습니다. 물론 종자돈을 모은 이후에는 공부와 투자를 병행해야 자산을 불릴 수 있지만 소비만 잘 통제하고 살아도 평범하게 사는데 크게 문제는 없습니다.

래칫 효과와 관련해서 생활의 규모에 대해 하나 더 얘기하자면 사회생활 초기에는 월세가 되었든 전세가 되었든 너무 큰 집을 구하지 않는 것이 좋습니다. 내 집 마련이 아니라면 주거 비용 자체를 아껴야 한다는 의미도 있지만 큰 집을 구해서 살게 되면 그 집을 채우기 위해 사야 하는 가구와 각종 세간살이들이 많아질 수밖에 없습니다. 그렇게 되면 이후에는 절대로 이전보다 작은 집으로 이사할 수 없게 됩니다.

큰 집에 살기를 원하는 사람이 입지가 안 좋은 곳에 마음에 드는 큰 집을 구해서 전세를 살고 있다고 가정해 보겠습니다. 이 사람에게 같은 비용으로 크기는 더 작지만 미래 가치가 보장된 곳에 내 집 마련을 할 수 있는 기회가 왔다면 어떤 판단을 할 수 있을까요?

이런 상황에서 주거 규모가 이미 늘어나 있는 사람이 경제적으로 합리적인 선택을 할 확률은 거의 없습니다. 그래서 젊을 때일수록 여러 가능성에 유연하게 대처할 수 있도록 미니멀한 삶을 유지하는 것이 매우 중요합니다.

08

순자산 1억 원에서 10억 원까지의 과정

사회생활 시작하고 1억 원을 모은 이야기는 인터넷에 검색만 해봐도 넘쳐납니다. 누군가는 3년이 걸렸다고도 하고 누군가는 5년이 걸렸다고도 합니다. 그러나 10억 원을 모은 과정에 대한 이야기는 쉽게 찾아보기 어렵습니다. 그 이유는 여러 가지가 있겠지만 1억 원과 10억 원의 차이가 그만큼 매우 크기 때문일 것입니다. 3년 만에 1억 원을 모으는데 성공한 사람이 똑같은 방법으로 10억 원을 모으기 위해서는 30년이라는 시간이 필요하기 때문에 1억 원에서 10억 원 이상의 자산을 모으기 위해서는 1억 원을 모은 방법과는 분명히 달라야 합니다.

꿈만 많던 젊은 시절에는 고만고만한 친구, 선배들이 1억 원을 모으는 게 어렵지 1억 원만 모으면 금방 10억 원이 되고 10억 원을 모으면 50억 원까지 가는 것은 더 쉽다고 술자리에서 호기롭게 떠들던 때도 있었습니다. 그러나 저에게 10억 원까지 도달하는 과정은 그렇게 만만한 것이 아니었습니다. 그렇다면 순자산 10억 원이라는 돈이 주는 의미와 그 과정에 도달하기 위해 필요한 것들은 무엇이 있을까요?

10억 원의 가치

2022년에 발표된 가계금융복지조사 결과에 따르면 우리나라의 가구당 평균 순자산은 4억 5천만 원입니다. 2022년 기준으로 우리나라에 순자산이 10억 원 이상인 가구는 11.4%입니다. 2021년 기준으로는 9.4%였으나 부동산 가치 상승으로 자연스럽게 늘어났습니다.

부동산 시장이 한창 뜨겁던 2021년에는 서울의 아파트 평균 매매 가격이 12억 원이나 되다 보니 10억 원도 의미 있는 액수가 아닌 것처럼 느껴지기도 하지만 그 정도 순자산만 있어도 대한민국 10%라는 점에는 충분히 의미를 둘 수 있습니다. 그만큼 10억 원이라는 돈은 절대로 작은 돈이 아닙니다. 경제적 자유라는 관점에서도 주거 비용을 줄인다면 반 정도는 투자할 수 있는 자금이기 때문에 5억 원을 주거에 쓰고 나머지 5억 원을 투자한다면 연 4% 수익률로 2천만 원을 벌 수 있는 금액입니다. 급여 생활자라면 월평균 166만 원에 달하는 추가 소득을 얻을 수 있는 금액입니다.

10억 원 달성의 과정

1억 원을 달성한 사회인이라면 5억 원이나 10억 원을 바라보게 됩니다. 희망적이기도 하지만 한편으로는 10배의 돈이라는 생각에 막막하기도 합니다.

개인적으로 1억 원을 모을 때까지는 무조건 소득을 늘리고 짠테크를 해야 하는 시기이다 보니 통장 잔고액의 합이 1억 원이 되는 순간 정말 감회가 남달랐습니다. 그러나 순자산 10억 원은 대부분의 경우 부동산이 포함되기 때문에 크게 와닿는 부분이 없습니다. 갑자기 10억 원의 현금이 생겼다면 모를까 꾸준히 자산이 상승하는 와중에 10억 원을 넘었다고 해도 별 차이가 느껴지지는 않습니다. 특별히 부자라고 할 수도 없기 때문에 사는 것도 똑같았고, 그냥 이제는 먹고 싶은 거 있으면 좀 사 먹고 살자고 생각한 정도라고 할까요? 1억 원을 모으는 데 만 3년이 걸렸기 때문에 산술적으로 10억 원을 모으려면 30년이 걸려야 하지만 개인적으로 10억 원에 도달하는 데는 이후 10년이 걸리지 않았습니다.

자산의 증가 속도가 점점 빨라지는 이유를 생각해 보면 물가 상승, 맞벌이, 자본소득, 부동산을 꼽을 수 있습니다.

'물가 상승'

물가 상승은 소비 제품에만 반영되는 것이 아니라 급여나 기타 소득에도 후행적으로 반영되기 때문에 이로 인해 자산의 증가 속도가 빨라집니다. 다만 마찬가지 이유로 예전의 10억 원이 지금의 10억 원의 가치를 가지지는 않습니다. 그러나 수치적으로는 자연스럽게 증가하는 속도가 있습니다.

'맞벌이'

저는 결혼을 상당히 늦게 한 케이스이고 아내가 재테크나 경제적인 부분에 관심이 없기 때문에 자산의 격차가 상당한 상태에서 결혼했습니다. 그러나 적어도 한 사람이 자산 관리를 열심히 하는 상태에서 맞벌이를 할 경우 자산의 증가 속도는 매우 빨라집니다. 경제적인 부분에 대한 생각이 잘 맞는 파트너라면 가장 좋겠지만 그렇지 않더라도 나를 믿고 따라와 줄 수 있는 사람과 결혼하는 것은 자산 형성에 있어 매우 큰 힘이 됩니다. 혹은 내가 믿고 따를 만한 사람과 결혼하거나.

'자본소득'

직장인이라면 대부분 경력이 늘어남에 따라 급여가 상승합니다. 거기에 자산 증가를 통한 자본 소득을 추가하게 되면 소득은 가속도가 붙게 됩니다. 자기 분야에서 인정받아 연봉을 높게 받든, N잡을 통해 추가 소득을 만들든 소득의 규모는 정말 중요하고 그에 따른 소비 통제가 필요합니다. 이전 글에서 언급한 한계 소비 성향이라는 것이 그래서 매우 중요합니다.

'부동산'

저도 누구보다 열심히 아끼고 모으며 살았지만 노력에 비해 자산형성이 늦었다고 생각하는 편인데 그 이유는 부동산 투자 사이클을 한번 놓쳤기 때문입니다.

어릴 때 공부도 많이 하고 임장도 많이 다녔지만 첫 번째 맞은 사이클에서 레버리지를 통해 실제로 투자하지 못했던 것이 상당히 아쉽습니다. (지금도 대출에 대해서는 여전히 두려움을 가지고 있는 보수적인 투자 성향입니다.) 그리고 한번 놓친 투자 기회는 10년은 기다려야 다시 옵니다. 주식이건 부동산이건 평생 동안 3~4번의 큰 투자 사이클을 만나게 되는데 이를 잘 활용해야만 합니다.

자산 형성에 관심이 있다면 가능한 부동산 투자에 일찍 눈을 떠야 합니다. 저도 과거에는 주식 투자를 가장 중요한 재테크 수단으로 생각했지만 저와 같은 보수적인 성향의 사람은 주식 투자보다 부동산 투자가 더 맞는 것 같습니다. 일단 내 집 마련을 통한 기초 투자를 하고 나머지 투자 전략은 그 후에 이어가는 것이 좋습니다.

09

부동산에 관심 가져야 할 시기는 언제인가

부동산이 폭등하는 시기에는 사람들이 모이기만 하면 부동산 얘기를 합니다. 2021년 부동산이 폭등하던 시기에 제가 일하는 곳에서도 20~30대 직원들이 모이기만 하면 부동산 얘기로 시끌벅적했습니다. 부동산에 대해 관심도 많고 걱정도 많을 나이라서 폭등하는 부동산 가격에 한숨을 쉬기도 하고 나름 공부도 하며 당장이라도 영끌해서 집을 사야 하는 것이 아닌가 조급해 하기도 했습니다. 그러나 주식이든 부동산이든 버블이 꺼지고 나면 사람들은 언제 그랬냐는 듯이 관심이 사라지고는 합니다.

투자자가 부동산에 관심 갖는 시기

부동산의 하락 기조가 보이기 시작하고 전세가격도 내려오면 그동안 내 집 마련을 못해서 발을 동동 구르던 실수요자들이 더 이상 부동산에 관심을 갖지 않습니다. 그러나 모든 사람이 관심을 꺼버리는 것은 아닙니다. 이 시기에 부동산에 관심을 가지는 것은 누구일까요?

상승기보다 오히려 하락기에 부동산에 더 관심을 갖는 사람들은 바로 투자자들입니다. 모든 투자가 마찬가지지만 자산 상승기는 가지고 있는 자산을 좋은 가격에 팔아야 하는 시기이고, 자산 하락기는 더 싼 가격에 자산을 매입하기 위해 시장을 예의주시해야 하는 시기입니다. 소위 말해 부동산 투기꾼이라고 비난 받는 사람들 만이 하락기의 부동산 시장을 주시하며 상승기보다 더 큰 관심을 가집니다.

대중들이 돈을 벌지 못하는 이유는 이렇게 돈 버는 사람들과 관심의 시차가 다르기 때문입니다. 실수요자라도 정작 내 집 마련에 관심을 가져야 할 때는 부동산이 하락하고 아무도 부동산에 관심을 가지지 않을 때입니다. 이렇게 생각 없이 지내다 보면 다시 부동산 상승기가 찾아오고 또다시 부동산 투기꾼들을 욕하며 시장의 피해자로만 남게 됩니다.

당신이 바라는 집값은 오지 않는다

부동산이 하락하면 늘 공포를 조장하는 시기가 오게 됩니다. 더 이상 부동산으로 돈 버는 시대는 끝났다는 식의 언론 기사들이 나오고 부동산 폭락론자들이 득세하는 시기가 오게 됩니다. 이때 나오는 얘기들은 주로 고령화와 인구 감소로 인해 어쩔 수 없이 주택 가치는 하락할 수밖에 없다거나 일본의 잃어버린 30년과 같이 우리나라도 일본과 비슷한 부동산 불황을 거치게 될 거라는 얘기입니다. 그러나 일본의 부동산 버블은 우리나라와는 비교도 할 수 없는 수준이었기 때문에 우리와는 상황이 많이 다릅니다. 양국 모두 지방 소멸이라는 공통의 문제를 안고 있지만 일본도 동경과 같은 대도시 부동산 가격이나 임대료는 어마어마한 수준입니다.

자산 버블 시기를 지나고 나면 필연적으로 가격 폭락의 시기를 거치게 되지만 집값이 과거 10년 전의 가격으로 회귀하는 일은 일어나기 어렵습니다. 적어도 수도권과 지방 대도시에서는 절대로 불가능합니다. 그런데 대부분의 사람들이 사고 싶어서 안달하는 아파트들은 대부분 수도권 또는 지방 대도시의 역세권에 학군도 적당히 괜찮고 주변 인프라도 괜찮은 아파트입니다. 이렇게 입지가 좋은 아파트라면 더더욱 가격이 과거로 회귀할 가능성은 없습니다. 경제가 발전하고 통화량이 늘어나는 상황에서 집값만 완전히 과거로 회귀하는 것이 오히려 더 이상합니다. 제가 아주 어릴 때까지 거슬러 올라가면, 처음으로 기억하는 짜장면 가격이 500원이었습니다. 지금 8,000~9,000원 정도 하는 것을 생각하면 16배 이상이 오른 것인데 집값만 과거의 가격으로 돌아갈 수는 없습니다.

영화에서처럼 인류가 경험해 보지 못한 대재앙으로 모든 자산이 휴지 조각이 될 가능성도 있지만 우리 생에 그런 일이 일어날 가능성은 아주아주 희박합니다. Not Today.

내 집 없는 부자는 없다

부자가 되고 싶은 사람들은 아주 많이 있고 현재 부자인 사람들도 많이 있습니다. 우리가 주변을 둘러보면 알만한 동네 부자 중에서도 아마 내 집 없는 부자는 없을 겁니다. 내 집 마련을 통해 부자가 되었든 돈을 벌어 내 집을 마련했든 모든 부자들은 내 집이 있습니다. 그래서 경제적으로 잘 살고 싶은 욕심이 있다면 내 집 마련은 언제 해도 해야 하는 것입니다.

폭등하는 시기에 영끌까지 고민하던 사람들이 하락기에는 '앞으로는 집을 사는 것보다는 월세를 살고 남는 돈을 수익률 높은 곳에 투자하는 것이 더 현명한 방법이다'라고 생각하는 어리석음을 범하지는 않았으면 좋겠네요. 몇 년 전 주식 폭등기에 TV와 유튜브에 하루가 멀다고 나와서 젊은이들에게 집 사지 말라는 메시지를 전달하던 한 유명한 투자가가 생각납니다. 그 사람이 어떻게 투자에 성공했는지 속속들이 알기는 어렵지만 젊은이들의 인생에 대해 그렇게 무책임한 말을 던지는 것은 사기꾼이라는 얘기입니다. 아니나 다를까 여러 가지 문제로 구설수에 오르고 거액의 벌금도 물더니 요즘은 통 볼 수가 없습니다.

주택담보대출 금리가 중요하지 않은 이유

내 집 마련을 하는 시점과 방법은 생각보다 단순합니다. 앞으로 몇 년 동안 내가 모을 수 있는 자산을 예측해 보고, 거기에 30~70% 수준의 대출을 받는다는 가정으로 가용 비용을 예상해 본 후, 내가 살고 싶고 구매 가능성이 있는 집들의 가격 흐름을 지켜보다가 급매가 나오거나 바닥권 가격에서 거래량이 적당히 살아나는 시점에 사면 됩니다.

문제는 부동산 가격이 하락한 시기에는 주택담보대출 금리가 자산 가격 상승기보다 높을 수밖에 없다는 점입니다. 그러나 내 집 마련을 마음먹은 실수요자가 금리 때문에 집을 못 산다는 것은 말이 안 됩니다. 가계가 감당할 수 있는 대출 수준을 평가하기 위해 DSR, DTI와 같은 규제책을 시행하고 있는 것이기 때문에 법으로 정해진 한도 내에서 대출을 받는 것은 지극히 자연스러운 일입니다. 또한 부동산이 한창 폭등하던 시기에 집을 살까 말까 고민을 했던 사람이라면 대출 금리가 올랐다고 못 산다는 것 자체가 아이러니입니다. 왜냐하면 그만큼 부동산 가격 자체가 떨어져서 고점에 비해 더 싸게 살 수 있는 기회가 왔기 때문입니다.

예를 들어 아래 두 경우를 비교해 보겠습니다.

1. 최고가 10억 인 아파트를 내 돈 5억, 대출 5억(주담대 금리 2%, 변동금리, 원리금 균등, 30년 상환 조건)에 사는 것

2. 가격이 8억으로 떨어진 같은 아파트를 내 돈 5억, 대출 3억(주담대 금리 5%, 변동금리, 원리금 균등, 30년 상환 조건)에 사는 것

1번 조건의 경우 30년 만기까지 원리금 균등으로 상환했을 때 총 이자가 1억 6천5백만 원입니다. 그리고 2번 조건의 경우 3억만 대출을 받으면 되기 때문에 원금이 줄어든 대신 이자율이 높으므로 총 이자가 2억 7천9백만 원입니다.

두 조건에서 지불해야 하는 이자 차이가 대략 1억 정도가 되는데, 10억까지 올랐던 집을 8억에 샀기 때문에 2억의 이익을 봤다고 생각하면 대출 이자를 포함해도 이미 이익을 보는 셈입니다. 그리고 변동 금리로 대출을 받는다면 금리가 고점을 찍고 내려오는 시점에 이자는 점점 더 줄어들게 됩니다. 부동산을 싸게 살수 있고 감당할 수 있는 수준의 대출을 받는다면 대출 금리가 생각보다 그렇게 중요한 것이 아니라는 말입니다.

내 집 마련에 관심을 가져야 할 시기

2000년대 이후 내 집 마련의 가장 적당했던 시기를 생각해 보면 2006년 수도권 아파트 가격 폭등 이후부터 2016년까지 약 10년 사이라고 할 수 있습니다. 최근 2020년까지의 폭등은 2006년보다 더 크고 광범위하게 일어났기 때문에 향후의 상황이 완전히 동일하지는 않을 것 같습니다. 그러나 중요한 점은 부동산이 폭등할 때 관심 갖고 뉴스 기사 찾아보며 공부하던 열정을 부동산 침체기에야 말로 쏟아부어야 한다는 점입니다. 그리고 시장은 항상 충분히 준비할 수 있는 시간을 시장 참여자에게 제공해 왔습니다. 부동산의 장점은 서서히 움직이기 때문에 공부하고 준비할 시간이 충분하다는 것인데 그만큼 우리에게 충분한 망각의 시간을 준다는 아이러니도 있습니다.

부동산 가격 폭등 이후 어느 정도 버블이 꺼지고 난 다음의 5년 사이가 내 집 마련을 위해 가장 많이 공부하고 노력해야 할 시기입니다.

10

내 집 마련에 가장 적합한 시점은 언제인가

2019년부터 2020년 사이에 대한민국은 유례없는 집값 상승의 광풍을 겪었습니다. 이 시기에는 아파트 뿐만 아니라 빌라, 오피스텔 할 것 없이 사람이 살 수 있는 집이라고 하면 모든 것이 다 오르는 상황이 펼쳐졌습니다. 이런 시기에는 수많은 사람들이 포모 증후군(FOMO Syndrome)을 겪게 됩니다. '포모(FOMO)'라는 것은 'Fear Of Missing Out'의 약자로 고립 공포감을 의미합니다. '나 혼자 소외되거나 중요한 것을 놓치고 있다'고 생각하는 경우에 인간이 느끼는 불안감과 공포감을 말합니다.

자고 일어나면 집값이 급등하는 상황에서 아직 집을 가지고 있지 않은 사람들은 엄청난 사회적 소외감과 스트레스를 경험하게 됩니다. 이런 시기에 누군가는 영끌로 집을 장만하기도 하고, 누군가는 하염없이 올라가는 집값을 보고 자포자기하기도 합니다. 특히, 아직 경제적인 기반이 덜 갖춰진 2030 세대들은 과연 자기 생애에 내 집 마련을 할 수 있을까라고 하는 자괴감에 시달리기도 합니다.

집값 광풍...부동산 스트레스

「요즘 사람이 모이는 자리면 어김없이 치솟는 집값 얘기로 수런 거린다. 가히 '아파트 광풍 시대'라 할 만하다. 전세를 전전하면서 목돈을 마련해 내집마련의 꿈을 키워 왔던 무주택 서민층은 날벼락을 맞은 듯 현실을 개탄하며 울분을 토하고 있다. 자그마한 집을 가진 소시민들은 집 넓혀가기가 막막해져 울상이다. 집값이 폭등했다는 서울 강남 지역 주민 중에서도 전전긍긍하는 이들이 많다. 국민 대다수가 '아파트 스트레스'에 시달리고 있는 것이다.」

– 중앙일보 기사 –

국민 모두가 '아파트 스트레스'에 시달리고 있다는 이 기사는 사실 2020년의 기사가 아니라 2006년 11월 15일에 중앙일보에 실린 기사입니다.

「하지만 전씨는 "요즘 같아선 꿈이 이뤄질 가능성은 거의 없는 것 같다"고 하소연했다. 요즘 강북 지역도 아파트 가격이 많이 올라 어지간한 곳은 30평대가 3억~4억원은 하기 때문이다. 전씨는

"열심히 저축해 봐야 3년 뒤 모을 수 있는 돈이 1억5000만원 정도"라며 "은행 대출을 2억원 이상 받아야 집을 마련할 수 있다는 결론인데 지금 소득으로는 이자(월 110여만원 선)를 도저히 감당할 수 없다"고 말했다.」

- 중앙일보 기사 -

현재 기준으로 서울에 있는 30평대 아파트가 3억~4억원이라면 당장이라도 달려가서 계약을 해야 할 수준입니다. 물론 인플레이션을 고려했을 때 2006년의 3억이 지금의 3억은 아닙니다.

인플레이션은 소득에도 반영된다

사람들은 인플레이션이 소비품이나 자산 가격에만 반영된다고 생각합니다. 당장 집값이 오르는 기사를 보고, 마트의 물건값이 오르는 것을 체감하기 때문에 각자의 소득에도 인플레이션이 반영된다는 사실은 잊고 사는 경향이 있습니다. 그러나 자산 가격이 빠르게 먼저 상승하면서 인플레이션이 시작되고, 그 인플레이션을 반영하여 개개인의 소득도 상승하게 됩니다. 인플레이션은 상품 가격에만 반영되는 것이 아니라 결국엔 모든 비용에 반영됩니다.

자본주의 역사는 반복된다.

시장에 유동성이 많이 풀리는 시기가 되면 자연스럽게 자산 가격이 급격히 상승하고, 이는 투자자들에게 절호의 기회를 제공합니다. 현대 자본주의 역사의 투자 사이클을 지켜보면 보통 10~15년 정도 간격으로 부자가 될 상승장이 반복적으로 오게 마련입니다.

시장은 항상 우리에게 기회를 줍니다. 이건 단순히 제 생애에 겪어본 얘기가 아니라, 지난 200년의 자본주의 역사 동안 끊임없이 반복된 일이기 때문에 확신할 수 있습니다. 그래서 자산의 급격한 상승 시대가 어느 정도 마무리되는 시점에는 포모 증후군에 시달릴 게 아니라 꾸준히 공부하며 다음의 그랜드 사이클을 준비해야 합니다. 아주 먼 미래의 일은 모르겠지만 최소한 지금 시대에 살고 있는 사람들이 모두 죽을 때까지는 분명히 반복될 이야기입니다.

내 집 마련 언제 하야 하나?

내 집 마련 시기에 대한 생각과 상황은 사람마다 모두 다르겠지만, 저는 부동산 안정기가 왔을 때 그동안 모은 자산에 대출 포함해서 살수 있는 집을 그냥 사면 된다고 생각합니다.

부동산 안정기가 오면 생각보다 사람들이 집을 사려고 하지 않습니다. 대부분의 사람들은 가격이 폭등하면 그제야 관심을 가지고 사고 싶다는 강한 욕망이 들게 마련입니다. 이건 주식시장도 마찬가지입니다.

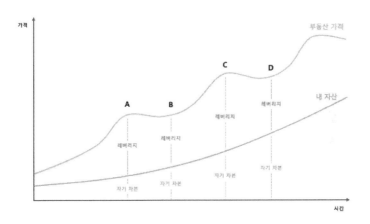

그림 16 부동산 가격과 자산 상승 그래프

내 집 마련에 가장 적당한 시점을 정확히 말할 수는 없지만 적어도 A, C 지점(그림 16)에서 살 필요는 없지 않을까요? 적당한 시점을 꼽자면 사람들이 부동산에 가장 관심을 가지지 않는 B, D 지점(그림 16)에 사는 것이 너무나 당연합니다.

자산을 가장 안전하게 지킬 수 있는 방법은 좋든 싫든 부동산을 매입하는 것입니다. 부동산은 인플레이션을 가장 확실하게 반영하는 자산이기 때문입니다. 그리고 투자를 하든 사업을 하든 내 가족이 편안하게 쉴 수 있는 집 한 채는 마련하고 하는 것이 좋습니다. 그리고 그것이 내가 투자나 사업을 통해 잃을 수 있는 리스크의 마지노선이라고 생각해야 합니다.

피터 린치의 조언

피터 린치는 월스트리트의 전설적인 주식투자가입니다. 워런 버핏, 존 보글, 벤저민 그레이엄, 필립 피셔 등과 어깨를 나란히 할 정도의 전설적인 투자가이며, 펀드매니저로서 마젤란 펀드를 운영하여 엄청난 수익을 낸 것으로 유명합니다.

피터 린치의 조언 중 가장 귀담아 들어야 하는 부분은 "우리는 주식투자보다 집 장만을 먼저 고려해야 한다. 집은 거의 모든 사람이 어떻게든 보유하는 훌륭한 투자이기 때문이다."라는 말입니다.

당장은 끝이라고 생각해도 역사는 예외 없이 또다시 반복됩니다. 만일 다음 기회가 올 때까지 공부하고 있지 않으면 그 기회를 또 한번 놓치게 됩니다. 그리고 모든 투자에 앞서 가장 먼저 고려해야 할 것은 바로 내 집 마련입니다.

11

인지도 높은 곳이 결국 좋은 부동산이다

보통 판교에 사는 사람들은 "나 분당 살아."라고 말하기보다는 "나 판교 살아."라고 말합니다. 또한 분당에 사는 사람들은 "나 성남시에 살아."라고 말하기보다는 "나 분당 살아." 이렇게 말합니다.

한 빅데이터 전문가는 이런 것들이 인간 욕망의 구별 짓기 때문이라고 말합니다. 자신이 좀 더 좋은 곳에 산다는 의도를 가지고 대답함으로써 타인과의 구별 짓기를 하고 있다고 분석하기도 합니다. 실제로 많은 사람들이 자기가 오래 살아온 지역에 대한 자부심을 가지는 면이 있고 어느 정도 욕망이 투영되는 부분도 있겠지만 사실 대부분의 사람들은 자연스럽게 자신이 대답할 수 있는 가장 구체적이고 정확한 답을 말하려는 경향이 있습니다. 그 이유는 대답 자체가 타인에게 전달하는 정보의 속성을 가지기 때문입니다.

가장 작은 단위가 가장 정확한 정보

사람들이 누군가에게 어디에 사느냐는 질문을 받으면 상대방이 인지하고 있을 거라고 예상되는 가장 작은 단위를 답하는 것이 매우 정상적이고 자연스러운 정보 전달 방식입니다.

예를 들어 아파트 단지 내에서 누군가를 만났는데 그 사람이 "어디 사세요?"라고 물어보면 "판교 살아요."라고 답하는 사람은 없습니다. "201동 살아요." 이렇게 답하는 게 자연스럽고, 엘리베이터에서 누군가를 만나 같은 질문을 받으면 "저는 602호 살아요."라거나 "6층 살아요."라고 답하는 게 자연스럽습니다.

마찬가지로 전혀 다른 지역에서 누군가를 만나 같은 질문을 받으면 자신이 답할 수 있는 가장 구체적인 지명을 이야기하게 됩니다. 그런데 그 지명이 누구나 알 수 있는 기준에 부합해야 하기 때문에 분당, 판교, 일산과 같이 누구나 알만한 지역에 사는 사람은 가장 구체적인 대답을 하는 것이 매우 자연스러운 일입니다.

서울 송파구 잠실동에 사는 사람에게 어디 사느냐고 물어보면 서울에 산다고 답하는 것보다는 잠실에 산다고 답하는 것이 더 구체적이고 정확한 정보이기 때문에 잠실에 산다고 대답할 가능성이 높습니다. 그러나 같은 사람이 지방 도시에 가서 동일한 질문을 받으면 서울에 산다고 대답할 가능성이 더 높아질 수 있습니다. 잠실이 더 구체적인 지명이지만 상대방이 잠실이라는 지명을 알고 있을지 확신할 수 없기 때문입니다.

해외여행을 갔는데 그 나라 사람이 "Where are you from?"이라고 물어보면 "I'm from Korea."라고 대답하지 "I'm from Pangyo."라고 대답하는 사람은 절대로 없을 것입니다.

다양한 지역에 대한 견문

단순히 어디에 사는지에 대한 답변을 가지고 인간의 욕망까지 논하는 것은 좀 과하지만 사람들이 쉽게 떠올리고 대답할 수 있는 지역이 부동산 투자 관점에서는 꽤나 중요한 의미를 가집니다.

저는 서울시 금천구 시흥동에서 태어나고 자랐는데, 어린 시절 동네 안에서만 살 때에는 몰랐지만 대학에 진학해서 여러 지역에서 모인 친구들에게 내가 구체적으로 어디에 살고 있는지를 설명하는 것이 쉽지는 않았습니다. 친구에게 사는 곳을 설명하려면 "구로구는 알아? 구로구 제일 남쪽에 시흥동이라고 있는데 거기 살아." 이렇게 답할 때가 많았습니다. 당시에는 시흥동이 구로구의 하위 행정동이었습니다. 지금은 금천구 시흥동도 많이 좋아졌겠지만 그때는 정말 아는 사람이 별로 없는 외진 동네였습니다.

누구나 자기가 오래 살아온 동네가 가장 살기 좋다고 생각합니다.

그만큼 익숙하고 정도 들었고 인맥도 형성되어 있기 때문이겠죠. 그래서 오래 살아온 자기 동네에서만 내 집 마련을 고려하는 사람들이 있는데 투자적인 관점에서는 동네를 벗어나 조금은 대중적인 인지도가 높은 지역이 왜 관심을 받는지 알아보고 견문을 넓힐 필요가 있습니다. 서울에서 평생 살았어도 본인이 사는 동네를 벗어나 보지 않은 사람이라면 최근의 마곡동이나 문정동 같은 곳, 혹은 경기도의 남양주나 김포와 같은 신도시에 가보면 깜짝 놀랄 수도 있습니다.

지명 인지도와 부동산 입지

이름만 들어서 누구나 아는 동네라면 부동산적으로도 가치 있는 곳일 가능성이 매우 높습니다. 언론에 많이 노출되는 지역은 그만큼 대중적인 관심도가 높은 곳이기 때문입니다.

우리나라에서 가장 입지가 좋은 곳으로 알려져 있는 압구정동을 생각해 보면 굳이 복잡하게 설명하지 않아도 압구정동 산다고 하면 대부분 어디인지 알 수 있습니다. 압구정동은 한강 인프라를 이용할 수 있고 한강변의 집들은 영구 조망권을 가질 수도 있으며 남쪽으로는 삼성동, 역삼동과 같은 비즈니스 지역이 가깝고 북쪽으로는 동호대교, 한남대교를 건너 강북으로 접근하기에도 편리합니다. 그리고 무엇보다 학군이 좋은 곳으로 알려져 있습니다.

저는 30대 초반에 부모님으로부터 독립하여 회사 가까운 곳에 방을 구하느라 마포구 서교동, 강남구 역삼동 순으로 이사를 다녔습니다.

거의 한 동네에서만 평생 사셨던 저희 어머니는 제가 살던 동네에 오실 때마다 "여기 사람 살 곳 못된다"라는 말씀을 매번 하셨습니다. 물가도 비싸고, 사람은 너무 많고, 도로는 복잡해서 정이 안 간다는 이유였죠. 그러나 그렇기 때문에 그곳이 상위 입지의 비싼 동네라는 걸 잘 모르셨습니다. 젊은 사람들 중에서도 내 집 마련에 있어서 자기가 살던 동네만 고집하는 경우가 있는데, 남들에게 쉽게 설명할 수 있는 동네는 그만한 이유가 있을 거라는 생각을 한 번쯤 해볼 필요가 있습니다.

12

내가 임대업 시작한 이야기

결혼 적령기에 조건을 보고 배우자를 찾다 보면 외모, 직업, 자산, 배경 등 많은 요소를 고려하게 됩니다. 어느 것 하나 놓치기 아쉬워서 너무 많은 조건을 따지다 보면 결혼 적령기를 훌쩍 넘기게 되는 경우도 흔히 있습니다.

생애 첫 주택을 구매하는 것도 이와 상당히 닮아 있습니다. 내가 살아야 하기 때문에 거주 조건도 좋아야 할 것 같고, 대출 없이는 사기 어려운 비싼 자산이다 보니 나중에 가치가 많이 올랐으면 좋겠다는 생각도 하게 됩니다. 그러나 모든 조건에 맞는 주택은 이미 너무 비싸고 조건을 하나씩 포기하다 보면 마음에 드는 주택을 찾기 어려워서 첫 집을 구매하는 시기가 점점 늦어지게 될 수도 있습니다. 그렇게 시간이 지나다 보면 예전에는 눈에 차지도 않던 집이 어느 사이에 넘보기 어려운 가격이 되어있는 경우도 흔히 볼 수 있습니다.

저는 첫 주택으로 내 집 마련이 아닌 수익형 오피스텔을 구매했는데 그 이유는 제가 생각하는 경제적 자유에 빨리 가까워지기 위해서였습니다.

오피스텔 매입한 이야기

아직 완전한 은퇴를 하지 않은 현재의 저에게 부동산 임대 소득이 차지하는 비중은 그리 크지 않습니다. 비 정기적으로 발생하는 소득을 제외한다면 노동 소득 55%, 임대 소득 30%, 금융 소득 15% 정도의 비율로 볼 수 있습니다.

제가 세미 리타이어를 선언하고 비 정기적인 형태로 업무를 조정한 이후에도 여전히 급여 소득이 차지하는 비중이 가장 높은 편입니다. 그러나 임대 소득과 금융 소득이 주는 심리적인 안정감은 급여 소득과 비교하면 대단히 크다고 할 수 있습니다.

저는 강남에서 직장을 다니며 혼자 빌라에서 자취를 하던 시절에도 빨리 자본 소득을 만들어 은퇴를 하고 이곳저곳 돌아다니며 노마드(nomad)처럼 사는 삶을 꿈꾸었습니다. 그래서 직장 다니는 틈틈이 강남역을 중심으로 강남대로와 테헤란로 라인의 오피스텔을 1년 정도 알아보고 있었습니다.

당시에 여러 오피스텔들을 조사했지만 마음에 드는 물건을 찾기는 상당히 어려웠습니다. 그때만 해도 강남대로와 테헤란로 라인은 10년이 넘은 오피스텔들만 있었고 유일한 대형 신축 오피스텔은 이미 오래전에 분양이 완료되어 완공된 시점이었습니다. 그러던 중 강남대로 사거리 코너에 신축 오피스텔을 짓는다는 신문 기사를 보고 분양 홍보관에 달려가 설명을 들은 후 며칠 후 다시 방문해서 바로 2개 호실을 계약하게 되었습니다.

앞서 언급한 것처럼 어떤 것이든 처음에는 많은 욕심을 내게 됩니다. 제 경우는 임대업으로 월세 수익을 얻고 싶다는 목표가 분명했기 때문에 조금은 수월하게 첫 부동산을 계약할 수 있지 않았나라는 생각이 듭니다. 비슷한 시기에 아파트에도 당연히 관심이 있어 여러 곳을 임장하기도 했는데 아파트의 경우는 대출도 크게 받아야 했고 한번 매입하면 오래 살아야 할 것 같다는 복잡한 생각에 고민하며 결정을 미루다가 놓친 물건이 한두 개가 아니었습니다.

당시에 모은 돈과 대출을 합쳐서 눈여겨본 강남 아파트를 샀다면 지금보다 자산 규모는 더 커졌겠지만 아무것도 안 하고 시간을 보낸 것보다는 훨씬 더 나은 결정이었다고 생각합니다. 그래서 첫 부동산을 살 때에는 평생 살 집이 아니라 투자라는 마음으로 접근해야 조금은 더 수월한 결정을 할 수 있다고 생각합니다.

왜 강남역이어야 했나

강남역 주변을 선택한 이유는 그만큼 부동산에 대한 경험이 부족했기 때문에 리스크를 최소화하기 위해서였습니다.

당시에도 강남역보다 다른 지역이 임대 수익률이 훨씬 높다는 것은 알고 있었지만 강남역 주변의 경우 직장인 수요가 워낙 많고 각종 국가고시를 준비하는 수험생들의 단기 임대 수요 등 공실의 위험이 가장 낮을 것으로 생각했습니다.

가족 중에 부동산에 대해 물어볼 사람도 없었고, 주변의 친구들도 모두 고만고만한 수준이어서 모든 판단을 혼자 해야 했기 때문에 강남이 가장 안전하게 시작할 수 있는 지역이라고 생각했습니다. 그리고 강남에 작은 규모라도 나의 부동산이 있었으면 좋겠다는 바람도 한몫 하긴 했습니다.

지금도 강남역을 중심으로 강남대로와 테헤란로 주변 오피스텔의 임대 수익률을 보면 다른 지역과 비교해서 매우 낮은 수준이기는 합니다. 그럼에도 불구하고 처음 생각한 것처럼 강남의 임대 수요는 상당히 많아서 임차인이 나가면 하루도 안돼 새로운 세입자를 구할 수 있을 정도로 수요가 확실한 지역입니다.

지금은 처음보다는 경험치가 쌓였기 때문에 추가로 오피스텔을 매입한다면 수익성과 관리의 편의성을 좀 더 냉정하게 판단할 수 있을 것 같습니다

이해 당사자의 말은 믿지 말 것

오피스텔을 분양 받을 때 분양 홍보관에서 2년 후 완공이 되면 프리미엄을 붙여서 팔 수도 있고, 강남역 주변은 더 이상 오피스텔 지을 땅이 없어서 이번이 마지막 기회가 될 수 있다는 말을 들었습니다.

당시에는 처음으로 거래하는 부동산이었기 때문에 그 말을 어느 정도 믿고 기대도 했지만 오피스텔의 경우 프리미엄을 붙여서 전매하는 경우는 거의 없다고 봐야 합니다. 일반적인 부동산 시장에서는 입지와 조건이 좋은 아파트 정도 되어야 프리미엄을 받고 분양권을 전매하는 것이지 오피스텔 시장에서는 그런 일도 별로 없고 프리미엄이 붙어도 얼마 되지 않습니다.

흔들리지 않는 투자자가 되기 위한 자세에서도 설명했지만 수익형 부동산을 사기로 결정했다면 사업하는 마인드로 철저하게 임대 수익을 고려해야 하고 나중에 혹시라도 부동산 가치가 오른다면 플러스 알파라는 긍정적인 마음으로 접근해야 합니다.

강남 지역은 더 이상 지을 땅이 없다는 것도 전혀 말이 안되는 이야기입니다. 제가 오피스텔을 분양 받고 8년이 넘는 시간이 지나는 사이에 강남의 노후화된 건물을 부수고 고가의 프리미엄 오피스텔을 짓는 것이 유행처럼 번지게 되었습니다. 땅이 없으면 부수고 새로 지으면 되는 것이 부동산이기 때문에 영업 사원의 말에 절대로 휘둘리지 말고 모든 투자는 스스로의 필요와 기대 수익에 기반해서 냉정하게 판단해야 합니다.

정부 정책이 중요한 이유

오피스텔은 수익형 부동산이고 대지 지분도 작기 때문에 건물 자체의 감가상각과 시설의 노후화 비용이 리스크가 될 수 있습니다.

오피스텔에 거주하기를 원하는 주 고객은 깨끗하고 보안이 좋은 시설을 선호하는 젊은 층이기 때문에 새로 지어진 후 초기 10년 간이 오피스텔의 가장 선호 시절이라고 할 수 있습니다. 10년 정도 지나 건물이 노후화될 경우 계속 보유할지 출구 전략을 세울지는 상황에 따라서 달라질 수 있습니다.

제가 매입했던 시기에는 정책적으로 민간매입임대주택 사업자에게 파격적인 혜택을 주었기 때문에 이런 부분도 신축을 선택하게 된 큰 이유였습니다. 당시 정부에서는 신축으로 매입한 주택으로 임대사업자를 낼 경우 취득세를 감면해 주는 혜택이 있었습니다. 그때 감면 받은 취득세만으로도 이미 수익을 내고 시작하는 것이나 마찬가지였습니다.

우리나라 부동산은 항상 정부 정책과 함께 움직이기 때문에 정부의 정책이 어디로 향하고, 어떻게 변하는지에 대해 항상 관심을 가지고 있어야 합니다.

임대업을 통해 얻은 경험

한국에는 유독 부동산 투자를 통해 부를 이룬 사람들이 많이 있습니다. 그 중에서도 아파트를 통해 시세차익을 얻는 것이 가장 일반적이고 대중적인 투자 방법이었습니다.

투자 자산으로서 아파트가 가지는 가장 큰 장점은 규격화되어 있어 가치평가가 쉽고, 최소한의 품질이 보장되는 상품이기 때문에 매도인과 매수인 모두에게 가장 매매하기 용이한 상품이라는 점입니다. 이러한 이유로 자산 가치 상승이라는 측면에서 보면 아직까지 아파트를 따라갈 만한 대중적이고 확실한 상품은 나오지 않은 상태입니다.

제가 오피스텔을 매입하고 임대업을 해오면서 얻은 경험은 반드시 비싼 아파트를 사지 않아도 꾸준한 자본 소득을 얻기 위한 투자 상품이 생각보다 많다는 것입니다. 당시 제 나이대의 주변 사람 모두가 아파트에만 관심이 있던 시절에 저 혼자만 오피스텔을 통한 임대 수익에 관심이 있었습니다. 현재는 임대업을 통한 투자 경험을 갖게 되었다는 점에서 좋은 선택이었다고 생각합니다. 물론 몇 년 후에 실거주를 위한 아파트도 사기는 했지만 아마 아파트를 먼저 샀다면 이후에 수익형 부동산을 매입하기는 어려웠을 거라 생각합니다.

꼭 부동산이 아니더라도 앞으로 임대를 통해 수익을 창출하는 산

업은 지금까지보다 훨씬 더 각광을 받는 시대가 될 것이고, 이러한 사업을 통해 꾸준한 현금 흐름을 만들 수 있다면 경제적 자유는 더 가까워질 수 있습니다.

Chapter 04

어떻게 살 것인가

Direction

01

가난은 습관이다

오래 전 같은 회사에서 함께 일했던 직장 동료들과 연말 모임을 가지고 있을 때였습니다. 이 모임의 7명 멤버 중 한 쌍의 부부는 국내 회사를 그만두고 미국으로 건너가 실리콘밸리의 구글 본사와 로쿠 채널에서 각각 디자이너로 근무 중이고, 오래전에 퇴직한 저를 제외한 나머지 멤버들은 여전히 대기업에서 근무하고 있습니다.

강남에서 1차로 저녁 식사를 하고 2차로 갈만한 술집을 찾아 자리를 잡았습니다. 메뉴판을 보면서 각자 술을 고르는데 별생각 없이 들어온 그곳의 술값이 조금 비싸서 다들 가장 싼 술을 찾는 분위기가 되었습니다. 하이볼 한 잔 가격이 1만 8천 원 정도 했던 것 같습니다. 그래서 주문을 취합하던 후배에게 그냥 먹고 싶은 술 고르라고 말하며 "가난은 습관이야!"라고 농담을 던졌습니다.

이 말이 꽤나 임팩트가 있었는지 다들 술자리 내내 '가난은 습관이다'라는 말을 가지고 농담을 하게 되었고 이후에도 여러 차례 회자된 일이 있었습니다.

미래가 걱정되는 이유

생각해 보면 그 자리에 모인 7명 모두가 현직 직장인이고, 저를 제외한 나머지 6명은 많은 사람들이 부러워할만한 학력, 직업, 커리어를 가지고 있는 사람들입니다. 그러나 모든 현실 술자리가 그렇듯 그 친구들 모두 현재에 대한 어려움과 미래에 대한 걱정이 내심 깔려 있었던 것 같습니다.

인생에 별 걱정이 없는 저의 입장에서 왜 그럴까 이유를 생각해 보면, 그들 모두가 여전히 좋은 직장에 다니고 있지만 그 중에서 사업자 등록증을 가지고 있는 것은 저 뿐이고, 월급 이외의 자본 소득 흐름을 가지고 있는 것도 저 뿐이기 때문이지 않을까 생각됩니다. 최고의 직장과 커리어를 가지고 있는 친구들이지만 어쩌면 이 정도 직장과 커리어라면 자신이 갈 수 있는 거의 한계까지 왔다고 느끼기 때문에 불안할 수 있겠다는 생각이 들었습니다.

문제는 대부분의 직장인들이 자신의 한계를 직장과 커리어라는 틀로 정해버리고 있다는 것입니다. 20~30대 직장인들은 앞으로 올라설 곳이 남아있기 때문에 걱정이 덜할 수 있지만 40대가 되면 직업적인 커리어의 정점에 가까워지고 있다는 본능적인 느낌에 오히려 미래에 대한 걱정이 생기게 됩니다.

한계를 규정짓지 말아라

전 세계에 부자아빠 열풍을 불러왔던 로버트 기요사키의 '부자아빠 가난한 아빠'에서 가난한 아버지라고 부르던 그의 친아버지는 하와이 주에서 교육감까지 지냈지만 평생 금전적으로 고생한 반면 부자 아버지라고 부르던 어린 시절 단짝 친구의 아버지는 중학교도 제대로 마치지 못했지만 하와이 최고의 갑부가 되었다는 이야기로 이 책은 시작합니다.

저 역시 어린 시절부터 항상 부자가 되고 싶었습니다. 20살까지는 방황을 많이 했고 20대에는 부자가 되는 방법을 몰라서 뭐든 열심히 해야 한다고 생각했습니다. 그렇게 노력해서 조금 늦은 나이에 남들이 부러워할 만한 대기업에 취업하게 되었고, 그때 처음 받은 연봉은 2천만 원대였습니다. 그러나 당시에도 억대 연봉을 받는 사람들은 존재했고 그들은 꿈의 직장인으로 신망의 대상이 되기도 했습니다.

저는 직장 생활을 하는 동안 이런 생각을 한 적이 있습니다. 직장에서 받는 연봉으로 내 소득의 한계를 규정짓지 말자고 스스로에게 선언한 것입니다. 회사에서 나에게 억대 연봉을 줘야만 억대의 돈을 벌 수 있다는 생각을 버리고 내 소득의 한계치를 무한히 열어두자고 마음 먹었습니다. 세상에는 한 달에 몇 백만 원을 버는 사람들이 대부분이지만 한 달에 몇 억 원을 버는 사람도 분명히 존재하는데 스스로 한계를 정해놓고 남이 주는 월급에 만족할 필요는 없으니까요. 그래서 여러 가지 일을 시도해 왔고 월급 수준의 자본 흐름을 만들면서 미래에 대한 스트레스가 상당히 줄었던 것 같습니다.

가난한 습관

가난이 습관은 아니더라도 가난한 태도와 가난한 마인드는 분명히 존재합니다. 그 태도와 마인드는 자신의 한계를 주어진 환경 안에서의 성공으로 규정짓는 것일 수도 있습니다.

대기업에서 임원이 되는 것만이 직장인에게 유일한 성공의 방식은 아니며, 세상은 열려 있고 시도해 볼 만한 가치 있는 일은 무궁무진합니다. 부자와 빈자의 사고방식은 분명히 다르고 이러한 사고방식을 사고의 습관이라고 부를 수도 있습니다.

저와 모임을 했던 똑똑한 친구들은 분명히 10년 후에 만나도 여전히 각자의 길에서 잘 살고 있을 것이 분명하지만 지금 이 시기에 겪고 있을지 모르는 불안을 걷어버리는 방법은 자신의 한계를 규정 짓지 말고 자신에게 주어진 환경 밖에 있는 세상의 많은 가능성에 마음을 열어두는 것이 아닐까 생각됩니다.

02

성공을 위한 노력의 4가지 종류

언젠가부터 MBTI가 상당히 유행입니다. 사람의 성격을 단지 16 가지 유형으로 분류하는 게 가능한지는 모르겠지만 나름 재미있게 활용되고 있는 것 같아 개인적으로는 긍정적으로 생각하고 있습니다. 예전에는 신입 사원이라면 반드시 이래야 한다거나 학생이라면 이래야 한다는 식의 정형화된 편견을 강요하는 경우가 많았는데 MBTI가 유행한 이후로는 그 사람의 성향을 이해하고 받아들이는 게 좀 더 자연스러워진 것 같습니다.

성격 유형 검사 얘기로 시작하는 이유는 노력하는 사람의 성향도 유형별로 나누어 볼 수 있기 때문입니다. 요즘 주변 사람들을 둘러보면 대부분 열심히 노력하면서 사는 것 같지만, 막상 유심히 관찰해 보면 노력하는 것에 비해 성과가 정말 안 나는 사람들도 있습니다. 오랫동안 많은 사람들과 일하면서 제 나름의 경험과 관찰을 통해서 노력하는 사람들의 유형을 4가지로 분류해 보려고 합니다.

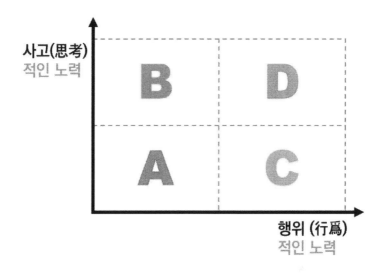

그림 17 노력의 유형

크게 사고(思考)적인 노력을 하는 것과 행위(行爲)적인 노력을 하는 것으로 노력의 유형을 구분할 수 있습니다.(그림 17) 사고(思考) 적인 노력을 한다는 것은 생각과 고민을 많이 하고 문제를 해결하기 위해 공부도 하는 성향의 사람으로 정의할 수 있습니다. 그리고 행위(行爲)적인 노력을 한다는 것은 부지런하게 일하고 꾸준히 몸을 움직이는 실천적인 노력을 많이 하는 성향으로 정의할 수 있습니다.

A Type (사고도 안 하고 행위도 안 하는 타입)

사회에서 일로서 만나는 사람들은 어느 정도의 노력을 해왔기 때문에 취업도 하고 일도 하고 있는 사람들이기 때문에 극단적으로 게으르고 생각도 없는 사람을 만나기는 쉽지 않습니다. 이런 타입에 대해서는 특별히 언급할 필요도 없겠지만 만약에 일을 하면서 이런 타입의 사람을 만난다면 그냥 피해 가는 것이 좋습니다. 이런 타입은 경제적인 부분에 있어서도 성공할 확률이 거의 없습니다. 흔히 말해서 생각도 없고 노력도 안 하는 게으른 타입입니다.

B Type (생각만 많고 실천하지 않는 타입)

생각만 많고 실천하지 않는 타입, 혹은 공부는 열심히 하지만 공부한 것을 실행에 옮기지 못하는 경우도 이런 타입에 속합니다.
이런 타입의 사람도 인생에 있어서 어느 정도의 성과는 있습니다. 왜냐하면 우리나라와 같이 입시 위주의 교육 시스템에서는 반강제로 공부만 열심히 하면 어느 정도 좋은 대학에 갈 수 있고 취업까지는 가능할 수 있기 때문입니다. 그러나 정글 같은 사회에 나오면 생각만 많이 하고 공부만 열심히 하는 것으로는 좋은 성과를 내기가 어렵습니다. 스스로 적극적으로 움직이지 않으면 시간이 지날수록 남들보다 뒤쳐질 수밖에 없습니다. 직장에서는 가끔 이런 타입의 사람들이 비효율적으로 열심히 일만 하는 사람들을 비아냥대는 경우도 있습니다.

경제적인 부분에서도 이런 타입은 돈을 벌기가 쉽지 않습니다. 재테크에 대해 이론은 빵빵하지만 정작 시도는 하지 못하고, 시간이 지나고 나서야 "그때 나도 생각은 했었는데..." 이렇게 말하는 타입이라고 할 수 있습니다.

C Type (생각 없이 열심히 몸만 움직이는 타입)

주변에서 가장 많이 볼 수 있는 실로 안타까운 타입입니다. 이런 타입은 누구보다 열심히 일하지만 성과가 없는 경우가 많습니다. 직장에서도 매일 야근하며 누구보다 많은 시간을 들여 업무를 하는데 정작 평가는 별로 좋지 않은 사람들이 있습니다. 이런 타입은 정말 문제가 많은 직장에 근무하면서도 생각 없이 열심히 다니며 시간을 허비하는 경우가 많습니다. 시키는 일은 열심히 하지만 공부는 별로 하지 않습니다. 생각하고 공부하는 노력은 귀찮아하고 대신 몸을 열심히 움직이며 일하는 것으로 스스로 최선을 다하고 있다고 착각하는 경우도 있습니다.

이런 사람들의 가장 큰 리스크는 '왜 나는 이렇게 열심히 사는데 남들보다 나아지지 못하는 걸까?'라는 자기 연민에 빠지기 쉽다는 것입니다. 몸만 바쁘다고 성공하는 것이 아님을 인식하지 못하는 경우입니다. 일은 열심히 하지만 문제를 개선하거나 해결하는 것은 사고의 영역이므로 그런 노력은 잘 하지 않습니다.

경제적인 부분에서도 매일 힘들게 일은 하지만 정작 경제적으로는 그다지 나아지지는 않는 경우 이런 타입일 가능성이 높습니다.

D Type (생각도 많이 하고 실천도 하는 타입)

이런 타입의 사람은 남들보다 일도 열심히 하지만 일에 대한 고민도 많이 하고 공부도 하는 타입입니다.

몸을 바쁘게 움직이고 부지런히 일하는 중에도 현재 상황에 문제가 있다면 그것을 인식하고 개선하기 위해 고민하고 공부하는 사람들이 있습니다. 이런 타입의 사람들은 답이 안 나오는 일을 계속하지 않습니다. 일을 통해 경험을 얻으면 경험에서 배운 것을 통해 상황을 개선해 나가려는 노력을 합니다.

직장에서도 이런 타입은 현재의 직장에 비전이 없다는 판단을 하면 직장에 다니면서 더 좋은 직장을 찾기 위한 노력을 병행해서 합니다. 이렇게 문제를 인식하고 실천할 수 있는 타입의 사람은 점점 나아지는 것이 눈에 보입니다. 한동안 못 보다가 다시 만나면 크게 성장해 있는 경우가 많습니다.

이런 타입이 성공을 위해 가장 지향해야 할 유형입니다.

성공을 위한 노력에도 종류가 있다

나름의 방식으로 사람들이 노력하는 타입을 4가지로 분류해 봤지만 MBTI의 16개 성향으로 인간의 모든 성격을 구분 지을 수 없는 것처럼 사람의 노력을 이렇게 간단하게 몇 가지로 구분할 수는 없습니다. 다만 중요한 핵심은 '나는 지금 모든 시간을 일하는데 쓰고 있고, 그러니 나는 지금 최선의 노력을 다하고 있는 것이다'라고 너무 쉽게 생각해서는 안 된다는 것입니다. 나와 같은 상황의 누군가는 나와 같은 양의 노동을 하면서 동시에 더 나아질 방법을 머릿속으로 고민하고 실행할 준비를 하고 있을지도 모르기 때문입니다.

세상에는 열심히 노력하며 사는 사람들이 정말 많기 때문에 성공하기 위해서는 몸도 바빠야 하지만 머리도 바빠야 합니다.

난 이렇게 고생했는데 왜 가난할까?

고생을 많이 한 사람이 자신은 왜 늘 제자리인지 의문을 가진다면 고생은 했지만 노력은 하지 않았을 수도 있습니다. 노력의 방법에도 종류가 있듯이 고생을 하는 것과 노력을 하는 것에는 매우 근본적인 차이가 있습니다. 고생은 환경이 만들고 노력은 자신이 만드는 것이라는 점입니다. 또한 고생은 수동적이고 노력은 능동적입니다.

피할 수 없는 고생스러운 환경에서 하루하루 열심히 버티며 살아 냈다고 해서 모두가 성공할 수는 없습니다. 누군가는 똑같이 고생 스러운 환경에서 더 나은 내일을 위해 고민하고 공부했을 수도 있 다는 것을 기억해야 합니다. 중요한 것은 '수동적으로 환경에 끌려 다닐 것인가, 능동적으로 환경을 극복하기 위해 노력할 것인가' 입 니다. 능동성의 핵심은 스스로 사고하고 누가 시키지 않아도 행동 하는 것입니다.

고생을 많이 했다면 동정 받을 일이 될 수는 있어도 존경받을 일 은 아닙니다. 그러나 고생스러운 환경을 극복하고 더 나아지기 위 해 스스로 고민하고 능동적으로 행동하는 노력을 많이 했다면 그건 분명히 존경받을 만한 일입니다.

03

꾸준히 하면 뭐가 되든 된다

제가 주변에 자주 하는 말 중에 "꾸준히 하면 뭐가 되든 된다."
라는 말이 있습니다. 잠깐의 노력으로 성과가 나지 않는다고 해서
하고 있는 일을 자주 바꾸는 습관을 들이면 어떤 일이든 성과를 보
기가 어렵습니다. 왜냐하면 먼저 시도했던 일이 본인의 재능이나 적
성에 맞지 않아서 성과가 나지 않은 것이 아니라 실은 자신이 그리
뛰어난 사람이 아닌 그냥 평범한 보통 사람이기 때문입니다. 천재들
은 잠깐의 시도로 꽤 괜찮은 성과를 만들어낼 수 있고, 인생을 살
면서 그런 성과를 여러 개 만들어 낼 수도 있겠지만 평범한 사람들
이 가질 수 있는 유일한 무기는 꾸준함 입니다.

대부분의 사람들은 한 가지 일을 일 년 이상 꾸준히 유지하는 경

우가 거의 없기 때문에 어떤 일이든 일 년 만 꾸준히 노력을 유지한다면 이미 90%의 경쟁자를 제친 셈입니다. 보통 사람의 능력으로 아무리 노력해도 한 분야에서 1% 이내에 들 수 없을지는 몰라도 이렇게 쉽게 10% 안에 들 수 있다면 이것도 꽤 괜찮은 결과가 아닐까 생각됩니다.

쉬운 길을 버린 디자인 회사

대기업에서 근무하던 약 15~20년 전에 외주 용역을 주던 수많은 디자인 에이전시 중 한 회사가 있었습니다. 디자인 에이전시는 주로 대기업에서 의뢰하는 디자인 업무를 수행하고 결과물을 전달하는 디자인 전문 회사를 말합니다. 당시에는 요즘 UX라고 말하는 UI/GUI 분야의 업무 수요가 폭발하여 창의적인 디자인보다는 대기업 디자인팀 인력만으로 소화하지 못하는 파생되는 업무를 담당하는 경우가 많았고 그 회사도 그런 업무를 하는 여러 업체 중 하나였습니다.

디자인 에이전시를 창업하는 대표이사들이 회사의 업력을 키워나가다 보면 처음에 가졌던 순수한 디자인 열정보다는 좀 더 효율적이고 수익이 되는 방향을 우선하게 되는 게 사실입니다. 그래서 스스로 새로운 사업을 개척하기보다는 대기업 외주 업무를 통해 돈을 모아 사옥을 짓거나 건물을 사는 것이 당시(물론 현재도) 디자인 전문 회사들의 비슷한 성장 유형이었습니다. 그런데 그 회사는 어느 순간부터 홀로그램이나 디지털 사이니지를 이용한 자체적이 광고 솔루션을 개발하는 쪽으로 사업 방향을 정하고 대기업 외주 프로젝트를 수주하지 않는다는 이야기를 들었습니다. 그전에도 디자인을 참 잘하는 회사로 알려져 있었기 때문에 상당히 아쉽기도 하고 쉽지 않은 길을 가려는 것에 대한 우려도 있었습니다.

이후 그 회사의 행보는 정말 가시밭길이었던 것으로 알고 있습니다. 사업을 확장하기 위해 다양한 투자를 해보았지만 잘 안됐다는 얘기를 전해 듣기도 하고 내부적으로도 상당히 어려운 일을 겪은 사실에 대해 동종 업계 사람으로서 너무나도 가슴 아프게 생각하고 있었습니다. 직간접적으로 얼마나 많은 고난이 있었는지 전해 듣는 과정에서 그들의 고생이 남의 일 같지 않게 느껴졌던 부분도 있습니다.

한 가지 일에 몰입하는 것의 가치

아주 오랜 시간(10년이 넘게)이 지나 그 회사의 이름이 머릿속에서 거의 잊혀졌을 즈음 다시 접하게 된 것이 삼성동 코엑스에 전시된 wave라는 공공 미디어 아트 작품이었습니다. 처음 작품을 접했을 때는 아이디어와 스케일 그리고 퀄리티에 상당히 놀랐고, 두 번째 놀랐던 것은 내가 관심을 잊고 있던 십 년이 넘는 시간 동안 그 회사는 자신들이 정했던 방향의 노력을 끊임없이 해오고 있었다는 사실입니다.

디자인 전문 회사는 경영 구조가 아주 취약한 편입니다. 회사의 경영이 어려워지면 직원이 퇴사해도 막을 명분이 별로 없고, 핵심적인 디자이너들이 퇴사해 버리면 회사 자체의 경쟁력을 담보할 수 없는 것이 현실입니다. 결국 회사가 유지될 수 있을 정도의 자금 순환 구조가 무너지면 한순간에 사라져 버릴 수도 있는 것이 디자인 전문 회사의 속성이기 때문에 그 회사가 아직도 이 분야의 일을 꾸준히 유지하고 있었다는 것이 저에게는 조금 충격이었습니다.

꾸준함의 성과

한국디자인진흥원(KIDP)은 매년 우수디자인(GD, Good Design) 상품을 선정하고 시상하는 행사를 합니다. 2022년에 영예의 대통령상을 받은 우수디자인 상품은 지금까지 말했던 회사의 디지털 미디어 디자인이었습니다.

1985년 우수디자인(GD)상품 선정 제도가 도입된 이래로 40년에 가까운 역사 동안에 대기업이 아닌 중소기업이 대통령상을 받은 것은 그 회사가 최초입니다. 더욱이 제품 디자인이 아닌 디지털 미디어 분야 상품이 대통령상을 수상한 것도 최초의 사례였습니다. 그 회사는 Waterfall-NY라는 미디어 아트 광고를 통해 유명해져서 국민MC 유재석씨가 진행하는 '유퀴즈온더블럭'이라는 프로그램에 대표이사가 직접 출연하기도 했습니다.

불확실한 미래를 바라보고 한 가지 일에 꾸준히 매진해 가는 것은 무척 어려운 일이지만, 그 꾸준함이 언젠가 보상 받게 된다는 사실을 그 회사를 통해 다시 한번 깨닫게 되었습니다.

부자가 되기 위해 필요한 경험

우리는 수많은 책과 미디어를 통해 성공한 사람들의 생각과 이야기를 접하면서 살고 있습니다. 이런 이야기들을 오래 접하다 보면, 성공한 사람들 그 중에서도 특히 자수성가한 사람들의 비슷한 사고 구조나 공통적인 경험에 대한 것을 발견할 수 있습니다.

그것은 바로 실패와 몰입의 경험입니다.

실패 없이 성공하는 경우도 없지만 실패를 경험했다고 모두 성공하는 것은 아닙니다. 실패에는 좋은 실패가 있고 나쁜 실패가 있기 때문입니다.

좋은 실패는 실패의 경험을 통해 무엇이 문제였는지 파악하고 자신의 부족한 점을 인정하는 과정을 거칩니다. 그리고 다시 시도했을 때에는 적어도 같은 문제로 인한 실패만큼은 경험하지 않기 위해 노력합니다.

반면에 나쁜 실패는 실패의 경험을 통해 무엇이 문제였는지 객관적으로 파악하지 못하고 남들로부터 실패의 이유를 찾으며 다시 시도했을 때에도 같은 문제로 인한 실패를 반복합니다.

실패는 또한 몰입을 위한 계기를 만들어 주는 매우 소중한 경험이고 몰입은 실제로 나를 성장시킬 수 있는 행위입니다. 부동산 투자로 성공한 사람들의 얘기를 들어보면 젊은 시절 투자자로서 자리 잡기 전까지 최소 2년에서 5년 정도는 발이 부르트도록 임장을 다니고 공부한 몰입의 경험을 가지고 있었습니다. 그리고 주식투자로 성공한 사람들도 크게 다르지는 않았습니다.

물론 저도 이와 유사한 경험을 가지고 있습니다.

사회 초년생 시절 아무런 공부도 없이 주변의 상황에 휩쓸려 악착같이 모은 전 재산을 중국 펀드에 투자하였고, 서브프라임 모기지 사태로 불과 몇 달 만에 60%에 가까운 손실을 입게 되었습니다. 당시에 혼자 살던 작은방의 침대에 누우면 눈물이 날 정도로 억울한 감정이 올라오기도 했습니다. 그때부터 회사를 퇴근한 이후에는 공립 도서관에 가서 밤 늦게까지 거시 경제, 주식투자, 부동산 등의 재테크 서적을 닥치는 대로 읽기 시작했습니다. 그런 생활을 약 2년 정도 했고 주식 투자의 모든 것을 경험해 보겠다며 직장에 휴가를 내고 스켈핑, 데이트레이딩을 하루 종일 해보기도 했습니다.

그래서 제가 주식투자로 재기했을까요?

사실은 그렇지 못했습니다. 이후에 시장이 안정을 찾고 어느 정도 수익률이 회복되기는 했지만 저는 주식투자에 남다른 재능을 가지고 있지 않다는 것을 깨닫게 되었을 뿐입니다. 지금 돌아보면 주식투자 만으로는 반 정도 회복했던 것 같습니다. 그러나 그때의 몰입한 경험을 통해 얻은 지식들은 저의 성장에 큰 자양분이 되었고, 그때 쌓은 지식들이 지금까지도 저의 삶에 큰 도움이 되고 있습니다.

공부하는 방법

몰입에 대해서 특별히 중요하게 생각하는 이유는 공부하는 방법에도 정확히 적용되기 때문입니다. 주식 투자로 성공하고 싶은 사람이 주식 공부를 시작한다면 주식 투자와 관련된 책을 최소 10권 이상 단기간에 몰입해서 읽어야 합니다. 처음 주식 투자 책을 읽으면 낯선 용어와 어려운 내용이 이해가 안 되기 때문에 한 권을 읽는데 오랜 시간이 걸릴 수 있습니다. 그러나 두 권째 책을 읽을 때는 먼저 이해한 내용을 빠르게 넘어갈 수 있어 책을 읽는데 속도가 붙기 시작합니다. 또한 같은 내용을 여러 번 반복적으로 읽게 되므로 더 기억에 오래 남고 재미를 느낄 수 있습니다. 마찬가지로 세 권째, 네 권째가 되면 점점 책을 읽는 속도도 빨라지고 효율적으로 책을 읽는 노하우도 생기게 됩니다. 그래서 저는 개정된 법조문이나 어려운 계약서의 내용을 파악해야 한다면 처음에는 전혀 이해가 안 되더라도 계속 읽어보는 습관이 있습니다.

다양한 분야의 책을 골고루 읽는 것은 교양으로써 매우 중요하지만 한 분야를 공부한다는 목적으로 책을 읽는다면 같은 분야의 책을 몰아서 읽어야 효과가 있습니다.

몰입하면 누구나 성공할까?

그렇다면 인생에 있어서 이런 몰입의 경험이 있으면 모두가 성공할 수 있을까요? 앞서 저의 경험에서도 얘기했지만 꼭 그렇지만은 않습니다. 어떤 분야의 책 백 권을 읽는다고 해도 그 결과는 대단한 수준의 전문가가 된다기보다는 나라는 사람이 앞으로 어떤 책을 읽고 공부해야 할지에 대한 방향을 잡아주는 수준에 불과합니다. 공부라는 것은 끝이 없고, 나 자신은 대단한 천재가 아닌 보잘것없는 평범한 사람이기 때문입니다.

그럼에도 불구하고 꾸준한 공부는 사람을 성장시키지 않을 수 없습니다. 발명왕 토마스 에디슨이 "천재는 99프로의 노력과 1프로의 영감으로 이루어진다."라는 말을 했듯이 99프로의 노력을 해도 1프로의 영감이 부족하다면 토마스 에디슨과 같은 천재가 될 수는 없습니다.

우리가 99프로의 노력을 해야 하는 이유는, 우리에게 1프로의 영감이 부족하더라도 99프로의 노력을 통해 내가 가진 잠재력으로 이룰 수 있는 만큼의 성공은 이룰 수 있기 때문입니다. 에디슨처럼 제너럴 일렉트릭(General Electric) 같은 글로벌 대기업을 만들지는 못해도 몰입을 통해 작은 회사의 사장 정도는 누구나 될 수 있기 때문입니다.

05

99%와 100%가 만드는 차이

저는 수영하는 걸 무척 좋아해서 일주일에 5~6번 정도 아침마다 수영을 합니다. 혼자서 웨이트 트레이닝을 하거나 뛰는 것을 좋아하고 정말 많이 걷는 편이기도 합니다. 그래서 골프나 볼링 같은 경쟁적인 스포츠를 좋아하는 친구에게 혼자서 무슨 재미로 운동을 하냐는 얘기를 종종 듣기도 합니다.

제가 혼자 운동하는 것을 좋아하는 이유에는 몇 가지가 있습니다.

첫째로, 저는 경쟁을 좋아하지 않습니다.

경쟁하면서 스트레스를 받고 싶지 않고 게임이건 운동이건 경쟁에서 잘 이기지도 못하는 편입니다. 가끔 운 좋게 연속으로 게임에

이기면 기분이 좋아지는 것이 아니라 상대방에게 왠지 미안해지는 그런 성격의 소유자입니다.

둘째로, 기록을 단축하거나 기술을 하나씩 늘려가는 재미를 즐기는 편입니다.

6개월 동안 혼자 유튜브 보며 접영을 연습해서 남들 비슷하게 흉내는 낼 수 있게 되었고 수영 선수처럼 물속에서 한 바퀴를 돌아 플립 턴하는 기술을 혼자서 매우 열심히 연습하기도 합니다.

셋째로, 혼자서 하는 운동은 저에게 생각할 시간을 많이 줍니다.

혼자서 걷거나 달리거나 수영을 하면 많은 생각을 하게 되고 복잡한 생각들을 정리하거나 아이디어를 얻는데 큰 도움이 됩니다.

남들과 격차가 생기는 이유

어쨌든 운동 얘기를 하려는 것은 아니고 혼자 운동하면서 생각하게 된 부분을 얘기하려고 합니다. 살다 보면 나도 남들과 크게 다르지 않은 노력을 해왔다고 생각하는데 오랜 시간이 지나고 나면 나보다 훨씬 앞서가 있는 사람들을 발견할 때가 종종 있습니다. 학생 시절에는 공부와 성적이 그렇고 사회인이 되어서는 회사에서의 성과나 자산을 모으는 일 등이 그렇습니다. 이렇게 남들과 격차가 벌어지는 이유를 수영이나 달리기와 같은 운동을 통해 설명해 볼 수 있습니다.

운동을 할 때 '오늘은 수영을 10회 왕복해야지'라거나 '오늘은 30분 동안 달리기를 해야지'라고 스스로 목표를 정하고 지루한 운동을 계속하다 보면 적당히 중간에 그만두고 싶어질 때가 생깁니다. 수영이 되었든 달리기가 되었든 혼자서 하는 운동은 힘들기도 하거니와 즐겁거나 재밌는 것은 아니기 때문입니다.

여기에 '김완벽'이라는 친구와 '김적당'이라는 친구가 있다고 가정해 보겠습니다.

'김적당'이라는 친구는 수영을 10회 왕복하기로 했지만 9회까지만 하고 이만하면 10회에 가까우니 그만하자는 생각으로 멈춥니다. '김적당'은 총 9회를 왕복한 결과를 얻게 됩니다.

반면에 '김완벽'이라는 친구는 힘들고 지루한 왕복을 처음 목표했던 10회까지 마무리합니다. 그런데 10회까지 왕복을 하고 나니 '아직 힘이 좀 남았는데 조금만 더 해볼까?'라는 생각을 하게 됩니다. 그래서 한 번의 왕복을 더 하고 나면 조금 더라는 생각에 12회, 13회까지도 왕복하게 됩니다.

러닝 머신에서 달리기를 할 때도 마찬가지입니다. 30분을 목표로 달리다 보면 지루하고 힘들어서 그만두고 싶다는 생각을 누구나 하게 됩니다.

'김적당'이라는 친구는 25분까지 달리고 '이 정도면 거의 30분 달린 거지 뭐'라는 생각으로 러닝 머신에서 내려옵니다. 반면에 '김완벽'이라는 친구는 처음 목표한 30분을 힘들게 채우고 나니 왠지 조금 더 달릴 수 있을 것 같다는 생각에 '조금 더 달려볼까?' 하고 40분을 달립니다.

목표한 것을 채우지 못한 '김적당'은 어차피 10회 왕복하기로 한 수영을 9회까지 했으니 목표를 달성한 '김완벽'과의 격차가 1회라고 생각할 수 있지만 목표를 달성한 '김완벽'과 실제로 벌어진 격차는 1회가 아니라 2~3회가 됩니다. 달리기에서도 마찬가지로 '김적당'이 생각할 때 '김완벽'과의 격차는 고작 5분이라고 생각할 수 있지만 실제로 벌어진 격차는 15분입니다.

99%와 100%의 격차

이런 식으로 인생에서 목표한 것을 완벽히 채우지 않고 거의 다 채웠으니 됐다고 생각하는 사람과 목표한 것을 완벽히 채우는 사람은 시간이 지날수록 더 크게 격차가 벌어질 수밖에 없습니다. 힘들게 목표를 채운 사람은 조금만 더 해보고 싶다는 생각을 하게 되어 있지만 목표를 채우지 못한 사람은 그 자리에서 멈추게 됩니다.

한 번은 여유 있는 주말 아침에 수영장에서 왕복 10회를 목표로 자유형을 한 적이 있습니다. 그렇게 왕복으로 10회를 채우고 나니 조금 더 해보고 싶다는 생각이 들기도 하고, 시간도 많은데 나의 한계를 확인해 보자는 생각에 한 번만 더, 한 번만 더 하다가 50분 동안을 쉬지 않고 수영으로 왕복한 적이 있습니다. 누구나 일상에서 이런 경험을 한두 번은 해본 적이 있을 거라고 생각합니다.

99%에서 멈춘 사람은 100%를 채운 사람과 1%의 격차가 생겼다고 생각할지 모르지만 실제로는 나도 모르는 사이에 10%, 20%의 격차가 생겼을 수 있습니다. 오랜 시간이 지났을 때 나와 다른 사람들 사이의 격차가 크게 벌어져 있는 이유입니다.

목표를 달성하는 방법에는 두 가지가 있습니다.

하나는 길고 거대한 숙명적 목표를 세운 후 뒤도 돌아보지 않고 죽을 정도의 노력을 하는 방법입니다. 그러나 이런 일은 생사를 오가는 수준의 강렬한 동기부여가 되지 않는 한 거의 어려운 일입니다.

또 다른 하나는 짧은 목표를 세우고 하나씩 달성해 나가는 방법입니다. 보통 드라마나 영화에서는 전자의 경우를 많이 보여주지만 현실 세계에서는 후자가 훨씬 더 나은 방법입니다. 스스로 달성할 수 있는 목표를 세우고 달성해 나가는 것이 매우 중요하며 목표를 세웠다면 99%가 아닌 100% 달성하는 습관을 길러야 합니다.

06

자유롭게 살기 위해 필요한 3가지

사람들이 평생 여행을 못 가는 이유를 말할 때, 어린 나이에는 시간도 있고 건강도 있지만 돈이 없기 때문이고, 한창 일하는 젊은 나이에는 돈도 있고 건강도 있지만 시간이 없어서이고, 나이가 들고 은퇴한 이후에는 돈도 있고 시간도 있지만 여행을 다닐 만큼의 건강이 없어서라고 말을 합니다.

그만큼 인생에서 원하는 일을 다 하면서 사는 것이 쉽지 않습니다. 그 이유는 시간과 건강과 돈이라는 3가지 요소를 한 번에 가지는 것이 생각보다 어렵기 때문입니다. 곰곰이 생각해 보면 이 3가지 요소 중 하나만 없어도 우리가 살면서 할 수 있는 일이 별로 없습니다.

몇 년 전 모 대기업의 프로젝트 건으로 미국 미시건 대학교 한인 교수님께 현지 리서치 의뢰를 맡기고 과제 점검 차원에서 시카고에 출장을 간 일이 있었습니다.

마침 교수님과 나이도 같고 성향도 비슷해서 출장 내내 낮에는 일하고 매일 저녁마다 술을 마시며 온갖 얘기를 나누었는데, 시카고 시내에 오픈 스포츠카 타고 돌아다니는 사람들은 모두 은퇴한 노인들이라는 얘기가 나왔습니다. 다음날 시내에 나가 거리를 돌아다녀 보니 실제로 멋진 오픈 스포츠카를 운전하는 사람들은 모두 백발의 남성들이었습니다.

젊은 시절에는 가족들 때문에 SUV나 픽업트럭을 몰지만 자녀들을 분가시키고 나면 그제야 본인의 로망이었던 스포츠카로 차를 바꾸는 것이 그 동네의 트렌드라고 합니다. 물론 이런 것이 시카고에만 국한된 얘기는 아니겠지만 시카고처럼 부유한 도시의 주류 사회 중산층도 오픈 스포츠카를 탈수 있는 나이는 젊음을 다 보내고 난 이후여야 하는 것 같습니다.

얻고자 하는 바를 다 얻고 사는 사람이 세상에 얼마나 될까 싶지만 그래도 우리가 무엇을 추구하며 살아야 할지 한 번 생각해 볼 문제입니다.

시간, 건강, 돈

우리에게 시간, 건강, 돈 중에서 가장 중요한 것은 무엇일까요? 모두가 중요하겠지만 모든 사람들에게 주어진 하루 24시간은 동일하고 누구나 평생 동안 쓸 수 있는 시간은 점점 줄어들게 됩니다. 건강도 마찬가지로 죽는 날까지 점점 노화되고 나빠질 일만 있을 뿐입니다.

가장 중요하다고 말하기는 어렵지만 이 3가지 중에서 돈만이 다른 속성을 가지고 있습니다. 바로 시간이 지날수록 불어날 수 있는 유일한 요소이자 인간의 의지에 따라서 충분히 달라질 수 있는 요소라는 점입니다. 또한 돈은 시간과 건강이라는 다른 요소에도 영향을 미칠 수 있습니다. 각자에게 주어진 시간과 타고난 건강이 정해져 있더라도 충분한 경제적 능력이 있다면 자신의 의지에 따라서 시간을 더 자유롭게 사용할 수 있고, 건강을 관리하기 위해 더 많은 비용을 사용할 수도 있습니다.

대부분 현대인들이 시간에 쫓겨 사는 이유는 자본주의 시스템 내에서 고용주에게 내 시간의 대부분을 의탁하기 때문이고, 건강이 빠르게 악화되는 이유도 건강관리에 충분한 시간과 돈을 투자하지 못하기 때문인 경우가 많습니다.

결국 경제력이 충분하다면 시간과 건강도 애초에 자신에게 주어진 것에 비해서는 최대한 관리가 가능합니다.

저축이라는 관점에서 시간, 건강, 돈을 생각해 봐도 돈은 아껴서 쓸 수도 있고 미래를 위해 모아둘 수도 있지만, 건강은 젊은 시절에 미리 모아둘 수가 없습니다. 시간도 마찬가지로 미리 모아두었다가 나중에 충분히 쓰는 것은 불가능합니다.

결국 각자의 의지로 노력해서 나아질 수 있는 요소가 오직 돈 뿐이기 때문에 전 생애에 걸쳐 돈을 버는 행위와 시간, 건강의 트레이드오프(trade off)가 일어나게 됩니다.

문제는 이 3가지 모두가 중요하기 때문에 돈을 버는 행위와 시간, 건강을 바꾸는 거래를 어느 시점에 멈추냐는 것입니다. 우리가 경제적 자유에 도달한다는 것은 이 거래를 멈추는 시점이라고 할 수 있습니다.

시간과 건강을 사는 방법

돈을 벌기 위해 자신의 시간과 건강을 모두 소비하는 거래를 하지 않기 위해서 필요한 것이 소득의 자동화입니다. 우리가 흔히 자본 소득, 파이프라인 소득이라고 말하는 자동화된 소득이 그래서 중요한 것입니다. 우리는 부동산 임대, 예금 이자, 주식 배당금, 연금, 저작권 수입 등을 통해 자동화된 소득을 만들 수 있고 가능한 이른 시기에 이러한 자본 소득의 비중을 늘려가는 것이 중요합니다.

물론 평생에 걸쳐 자본 소득이나 지식 소득을 늘려가는 과정에서 건강 관리도 필요합니다. 젊은 시기에 꾸준히 유산소 운동하는 습관을 들여놓으면 나이가 들어도 좋은 습관을 유지할 가능성이 높습니다.

누구도 자신에게 주어진 인생 전체의 시간을 늘릴 수는 없지만 하루 24시간의 시간을 얼마나 내 의지대로 쓸 수 있는지가 중요합니다. 직장이나 조직생활을 해서는 자유롭게 시간을 쓰는 것이 어렵기 때문에 시간적으로 자유로울 수 있는 나만의 일을 찾기 위해 꾸준히 고민하고 노력해야 합니다. 인생에서 돈, 시간, 건강을 모두 얻는 것은 정말 어려운 일이지만 우리가 자유롭게 살기 위해 끊임없이 관리하고 키워 나가야 하는 가장 중요한 요소라는 점은 분명합니다.

07

경제적 자유를 얻어도 일은 필요하다

과거에 대기업과 스타트업에서 직원으로 일한 경험이 있고, 중소기업의 임원으로 근무하기도 했습니다. 투자자, 부동산 임대업자, 대학 강사, 프리랜서, 기업 자문 등 많은 직업을 가져오다 보니 진짜 전문가와 가짜 전문가를 구분하는 데 익숙한 편입니다. 실제로 방송에 나오는 주식 전문가, 부동산 전문가 중에는 자기 분야에서 정말로 성공을 거둔 후 글이나 강의를 통해 전문 지식을 전달하는 것이 아니라 애초부터 자신을 전문가로 포장해서 실제로는 강의나 책을 팔아 돈을 버는 직업적인 강사들이 훨씬 더 많습니다.

주식이나 부동산으로 돈을 그렇게 많이 벌었다면 왜 방송에 나와 힘들게 떠들면서 열심히 돈을 벌까요? 그것 자체가 힘든 노동인데 그렇게까지 열심히 하는 것은 그것이 그들의 본업이기 때문입니다. 저도 주식 차트 열어놓고 기술적 분석을 하며 앞으로 주가가 어떻게 될 것이라고 강의하거나 지도 펼쳐놓고 어느 곳의 입지가 좋으니 매수하라거나 매도하라는 수준의 초심자들을 상대하는 강의는 충분히 할 수 있습니다. 그 외에도 우울증을 앓고 있는 행복 전도사들, 대중 강연 외에는 해본 일이 없는 자기 계발 강사들도 많습니다. 그러나 가끔은 정말로 자신의 성공 노하우를 다른 사람에게 알려주는 것을 통해 보람과 행복을 느끼고자 하는 사람들도 있습니다. 그리고 저도 마찬가지로 이와 비슷한 생각으로 현재의 직업적인 상태를 유지하고 있습니다.

파이어가 아닌 세미 리타이어먼트

제가 FIRE(Financial Independence, Retire Early)라는 용어가 아닌 Semi-Retirement라는 용어를 선호하는 이유는, 파이어라는 단어가 어딘지 모르게 인생의 종착지와 같은 동경의 느낌을 주는 데 반해 세미 리타이어먼트는 보다 연속적이고 현실적인 느낌을 주기 때문입니다.

일에 치여서 살아가는 한국 사람들은 오늘이라도 당장 일을 그만두고 싶어 하지만 인간의 삶에 있어서 일은 생각보다 큰 의미를 가집니다. 실제로 경제적 자유에 도달한 대부분의 사람들이 비슷한 경험을 했을 것이고 그래서 글을 쓰거나 강의를 하는 등 지속적인 노동 활동을 이어가고 있는 것이겠죠.

저도 처음 조기 은퇴를 계획했을 때는 은퇴 후 제주도에 내려가서 아무 일도 안 하고 바다 보며 산책하는 삶을 살고 싶다는 꿈을 꾸었습니다. 그러나 현재는 굳이 익숙한 도심을 떠나 그렇게 무료한 삶을 살고 싶다는 생각이 거의 사라졌습니다. 바닷가에서 사는 것도 가장 좋은 시즌에 휴가로 잠시 다녀올 때나 행복한 것이지 끝도 없는 일상이 되어버리면 결국 또 다른 무기력함이 생길 거라는 걸 알기 때문입니다.

예전에 경제적인 부분이 직장 생활의 가장 큰 이유일 때에는 휴가라도 내고 훌쩍 떠나고 싶다는 생각이 자주 들었지만 요즘은 내가 스스로 목표한 일을 주로 하면서 살다 보니 그런 일탈의 욕구 자체가 예전보다 많이 줄어들었습니다.

인생에서 정말 하고 싶은 일

여전히 주변에는 파이어족이 되고 싶다는 사람이 참 많지만 조기 은퇴를 위해 열심히 돈을 모으는 것만큼 은퇴 이후에 뭘 하고 살면 행복할지도 충분히 고민하고 있는지 궁금합니다. 이런 고민이 중요한 이유는 경제적 문제를 배제하고 하려는 일이야말로 진정으로 본인의 인생에서 하고 싶은 일일 가능성이 크기 때문입니다.

조기 은퇴를 위해 아무리 빨리 자산을 모아도 5~10년 안에 은퇴하는 방법을 찾는 것은 보통 사람들에게 그리 쉬운 일이 아닙니다. 결국 도달하고자 하는 것이 행복한 삶이라면 그것을 앞당기기 위해서 본인이 은퇴한 후에 하고 싶은 일이 무엇인지 찾아보는 노력이 필요합니다. 그리고 현재부터 그 일을 조금씩 시도해 나가다 보면 결국 파이어족이 된 후라고만 생각했던 삶의 형태와 궁극적으로는 맞닿아 있는 곳에 자신이 있는 것을 발견할 수도 있습니다. 그렇게 해야 경제적인 자유로 가는 과정도 또한 행복할 수 있습니다.

최근 십 년 넘게 일하고 있는 직장 때문에 힘들어하는 아내에게 "돈은 상관없으니 진심으로 하고 싶은 일을 생각해 보고, 스스로 자존감을 잃지 않을만한 일을 찾으면 내일 당장 사직서 내도 된다."라는 말을 자주 해줍니다. 직장을 그만두지 못하는 이유가 단순히 수익이 끊기는 것에 대한 두려움 때문이라고 생각할 수 있지만 좀 더 깊은 곳에는 직업이 없는 자신에 대한 사회적 자존감 문제도 분명히 존재합니다. 그래서 경제적인 부분에 치여 살아가는 현실 속에서도 내가 경제적 대가 없이도 정말 하고 싶은 일이 무엇인지 찾아가는 과정과 노력을 놓아서는 안됩니다.

08

돈과 행복의 관계

매년 발표하는 '세계행복보고서'의 2023년 자료(그림 18)를 보면 우리나라가 전체 137개국 중에서 행복지수 57위를 기록하고 있습니다. 전 세계 10위권의 경제 대국을 이루었지만 행복 지수가 상대적으로 낮은 편이라는 건 전 국민이 다 인정하는 사실입니다.

국가의 경제력 뿐만 아니라 빈부의 격차를 고려하더라도 36위의 멕시코와 같이 빈부격차가 큰 나라와 비교해서 상당히 낮은 순위인 것을 보면 경제력과 행복의 관계가 단순하지는 않은 것 같습니다.

Rank	Country	
49	Brazil	6.125
50	El Salvador	6.122
51	Hungary	6.041
52	Argentina	6.024
53	Honduras	6.023
54	Uzbekistan	6.014
55	Malaysia*	6.012
56	Portugal	5.968
57	Korea, Republic of	5.951
58	Greece	5.931
59	Mauritius	5.902
60	Thailand	5.843

그림 18 World Happiness Report

"돈이 많으면 행복할까?"

누구나 하는 질문이고 누구나 한 번쯤 고민해 봤을 문제입니다.

만일 '사람은 돈이 많으면 행복하다'라는 문장이 참이라고 한다면 '도대체 얼마나 많은 돈이 있어야 행복할까'라는 질문이 남습니다. 저는 어린 시절 상당히 가난했고 그때는 분명히 행복하지 않았습니다. 가난한 동네, 가난한 가족, 늘 따라다니던 돈 문제로 인한 불화. 그래서 성인이 될 때까지 특별히 행복하다는 감정을 느껴본

적이 없었고 항상 경제적인 걱정과 미래에 대한 불안감이 마음속 한편에 자리 잡고 있었습니다.

사회에 나오기 전까지 진심으로 행복하다는 감정을 느껴본 것은 2002년 월드컵 때 대한민국이 스페인을 꺾고 월드컵 4강에 진출하는 모습을 광화문 광장에서 봤을 때 뿐이었던 것으로 기억합니다. 워낙 강렬한 경험이었기 때문에 지금도 비교적 생생히 기억하는데 수많은 사람들과 환호하며 '이런 감정이 행복이라는 건가?'라는 생각을 정말로 했습니다. 그러나 어쩌면 그것조차도 진정한 행복이라기보다 도파민 과다 분비로 인한 생화학 작용이었을 가능성이 높습니다. 하지만 이런 과거의 시절과 비교해서 '지금의 나는 행복한가?'라고 묻는다면 저는 '그렇다'고 대답할 준비가 항상 되어 있습니다. 그래서 '나는 너무 행복하다'라는 과장된 표현을 하기 보다 "현재 나의 삶은 전반적으로 상당히 행복한 상태다."라는 얘기를 종종 합니다. 너무 과장되게 행복하다고 부르짖는 사람들이 내면적으로는 상당히 외롭고 우울하다는 사실을 우리는 많은 사례를 통해 경험해 왔습니다.

그럼 저는 인생의 어느 시점부터 행복하다고 느끼게 되었을까요?

제가 행복하다고 느끼기 시작한 시점은 대략 10년 전쯤부터인 것 같습니다. 자연스럽게 생각이 변화된 이유는 역시 가난을 벗어나 경제적으로 안정을 찾아가고 있었기 때문입니다. 개인적인 경험에 비추어 봤을 때 돈이 없고 경제적인 미래가 불확실했던 시기에 행복하다는 감정을 느끼기는 상당히 어려웠던 것 같습니다. 일반적인 사람이라면 적어도 먹고 싶은 게 있으면 사 먹을 수 있고, 가고 싶은 곳이 있으면 갈 수 있고, 아픈 곳이 있으면 병원에 갈 수 있을 정도의 수준은 되어야 기본적인 행복의 조건이 갖추어집니다.

소비로 행복을 살 수는 없다

돈 없이 행복하기는 쉽지 않지만 그렇다고 많은 돈으로 많은 소비를 해서 행복해지지는 않습니다. 제 주변에는 저보다 몇 배의 돈을 쓰고 사는 사람들이 있습니다. 평소에도 돈을 쓰고 과시하는 것에 매우 진심이지만 그들이 행복해 보인다는 느낌을 받아본 적은 거의 없는 것 같습니다. 아무리 돈을 쓰고 아무리 많이 가져도 쓰고 싶고 갖고 싶은 건 항상 또 생기게 마련인 것 같습니다.

자동차를 구매할 정도의 나이가 되면 친구들과 자동차에 대해 얘기할 때 승차감이라는 말 외에도 하차감이라는 말을 사용하곤 합니다. 조금 꼰대스러운 사람들이 자주 쓰는 말로 비싼 차에서 내릴 때 사람들이 나를 우러러본다는 자기 과시의 표현에서 나온 말입니다. 그러나 이런 말에 진심을 담아서 하는 사람이라면 남들보다 더 비싼 물건을 가지는 것으로 밖에 자존감을 채울 수 없는 사람일 확률이 매우 높습니다. 결국 소비라는 것 자체가 문제라기 보다는 내가 진정으로 원하는 소비를 하는지 남들에게 우월해 보이기 위한 소비를 하는지에 따라 소비로부터 얻을 수 있는 행복은 구분됩니다.

남들과 비교하는 사람은 늘 불행하다

나와 남들을 비교하지 말라는 건 유명한 철학자나 종교인들이 늘 하는 흔한 얘기입니다. 누구나 살면서 수백 번은 더 들었을 법한 말이고 저도 어디선가 들은 얘기를 제가 원래 그렇게 살아왔던 사람인 것으로 착각하고 있을 수도 있습니다. 그러나 어쨌든 저는 남들과 나를 비교하기보다는 항상 제 자신에게 만족하기 위해서 사는 편입니다. 책에서 읽은 것이든 유명한 강사에게 들은 말이든, 중요한 것은 제가 이 사실을 매우 진지하게 진심으로 받아들이며 실제로도 그렇게 살고 있다는 점입니다.

제 생각엔 행복해지기 위해서 남들과 비교하지 말라고 강요하는 것보다는 자기 자신에게 집중하라는 말이 좀 더 정확할 것 같습니다. 자기 자신에게 집중하는 삶을 살다 보면 남들과 비교하는 시간이 그만큼 줄어들게 됩니다.

나는 잠시 스쳐가는 먼지 같은 존재

과거에 개인사적인 문제로 상당히 절망적이고 힘든 상황을 지난 일이 있는데 그때 깊이 빠졌던 것이 철학 강의와 과학 커뮤니케이터들의 천체 물리학 강의였습니다. 대부분의 철학 강의는 정확히 행복해지기 위한 삶을 말하고 있으니 당연히 도움이 될 거라고 생각할 수 있지만 천체 물리학은 조금 고개가 갸우뚱 해질 수도 있습니다. 그러나 천체 물리학에 대해 공부하면 할수록 인간이 얼마나 미미한 존재인지 생각하게 되었고 내가 현재 겪고 있는 어려움들도 별일 아닌 것처럼 느껴지기 시작했습니다.

우리가 사는 우주는 늘 죽어 있는 것이 기본값이라는 물리학 교수의 말이 생각납니다. 지구에 생명체가 살고 있다는 것 자체가 전체 우주의 역사 관점에서는 기적과도 같은 일이고 내가 살아있는 시간은 그야말로 찰나의 순간과도 같다는 생각을 하면 '어차피 한번 태어난 인생 열심히 살다 가면 그만이지'라는 마음이 들곤 합니다. 그리고 언젠가는 별의 먼지로 돌아갈 인간이 굳이 현재를 행복하게 살지 않을 이유도 없다는 생각을 많이 하게 되었습니다. 방송에서 천체 물리학을 공부하며 어려운 시기를 극복하게 되었다는 유명인들을 종종 보면서 동일한 경험과 깨달음에 신기함을 느끼기도 했습니다.

1억 원을 가장 행복하게 받는 방법

당신에게 갑자기 1억 원이라는 돈을 받을 수 있는 기회가 생겼습니다. 당신은 이 돈을 어떻게 받고 싶은가요?

돈을 받는 방법은 세 가지입니다.

첫 번째, 1억 원을 일시불로 받는다.
두 번째, 매달 500만 원씩 나눠서 받는다.
세 번째, 10만 원부터 시작해서 매달 10만 원씩을 더해서 받는다.

단순히 나에게 주어진 돈을 받는 방법을 선택하는 데 있어서도 다양한 가치를 고려해 볼 수 있습니다.

먼저 경제적인 관점에서만 생각한다면 당연히 첫 번째 방법을 선택하는 것이 가장 합리적입니다. 1억 원을 받으면 그 순간부터 원금 1억 원에 대한 이자를 만들 수 있기 때문에 복리의 누적 효과를 생각하면 경제적으로 가장 이익이 되는 선택입니다.

소비라는 욕망을 더해서 생각한다면 선택은 조금 달라져야 할 수도 있습니다. 1억 원을 일시불로 받았을 때 인간이 욕망할 수 있는 소비의 폭은 상당히 넓어질 수밖에 없습니다. 1억 원이라는 돈은 가장 낮은 가격대의 포르쉐 자동차를 구입할 수 있는 액수이므로 포르쉐를 타보는 게 평생의 꿈이었던 사람이라면 유혹에 흔들리지 않을 수 없습니다. 비합리적인 소비라고 생각할 수 있지만 1등 복권에 당첨된 사람들 중에서 결말이 좋지 않은 사례들을 보면 그다지

특이한 인간의 행동 패턴도 아닙니다.

두 번째 방법을 선택해서 매달 500만 원을 20개월에 걸쳐서 나눠 받으면 첫 번째 방법에 비해 한 번에 소비할 수 있는 규모가 크게 줄어듭니다. 500만 원은 뭔가 대단한 소비를 하기에는 조금 애매한 금액이기 때문에 첫 달에 받은 500만 원을 명품 소비에 쓸 수도 있겠지만 다음 달과 그 다음 달에도 같은 소비를 하기에는 만족도가 점점 떨어질 가능성이 높습니다. 그러나 매달의 생활비를 감당할 수준의 금액이기 때문에 소비를 절제하면 한동안 편안하게 살 수도 있습니다.

만일 세 번째 방법을 선택한다면 더욱 할 수 있는 일이 없습니다. 첫 달에 받은 10만 원은 적당한 식당에서 맛있는 요리 하나 먹을 수 있는 정도의 액수밖에는 되지 않습니다.

소비의 욕망이 아닌 행복감을 유지하는 관점에서 생각한다면 선택은 또 달라질 수 있습니다.

첫 번째 방법을 선택한다면 단 한 번의 큰 행복을 얻을 수 있습니다. 두 번째 방법을 선택한다면 1년 8개월 간 행복할 수 있지만 매달 동일한 금액을 받다 보면 시간이 지날수록 행복한 감각은 무디어질 수밖에 없습니다. 세 번째 방법을 선택하면 첫 달에는 큰 감흥이 없을 수 있지만 미래에 대한 기대감을 가질 수 있습니다. 1년만 지나면 한 달에 120만 원의 돈을 받을 수 있고, 2년이 지나면 240만 원을 받을 수 있습니다. 그리고 이러한 행복을 3년 8개월 간 지속시킬 수 있습니다.

이를 게인-로스 효과(Gain-Loss effect)라는 이론으로 설명해 보면, 사람들은 상대방이 처음에도 상냥하게 대하고 나중에도 상냥하게 대하는 것보다 처음에는 냉정하게 대했지만 나중에 상냥하게 대하는 경우 상대방에게 더 큰 호감을 느끼게 되는데 이를 게인 효과(Gain effect)라고 부릅니다. 반대로 상대방이 처음부터 끝까지 냉정하게 대하는 경우보다 처음에는 상냥하게 대했으나 나중에는 냉정하게 대하는 경우 상대방을 더 싫어하게 되고 이를 로스 효과(Loss effect)라고 부릅니다. 게인-로스 효과(Gain-Loss effect)는 심리학자인 E. 아론슨과 D. E. 린다가 발표한 효과로 게인 효과(Gain effect)와 로스 효과(Loss effect)를 합친 말입니다.

1억 원을 받는 과정의 인간 심리도 게인-로스 효과와 보상 강도라는 관점에서 보면, 처음에 10만 원을 받고 점점 늘어나는 보상을 주는 세 번째 방법을 통해 인간은 더 큰 행복감을 느낄 수 있습니다. 경제적인 관점만 고려한다면 의심의 여지 없이 첫 번째 방법을 선택해야 하지만 개인의 소비 태도에 따라서는 두 번째 방법을 선택하는 것이 더 합리적인 선택이 될 수 있습니다. 또한 인간의 보편적인 심리를 기준으로 생각한다면 세 번째 방법이 가장 행복한 선택이 될 수도 있습니다.

사람은 점점 더 나아져야 행복하다

물질적인 것이거나 물질적이지 않은 것이거나 사람은 오늘보다 내일 더 나아진다는 느낌이 있어야 행복합니다. 만일 가난 자체가 불행이라고 한다면 50~60년대를 살았던 이전 세대들 모두 불행했어야 하지만 자고 나면 발전하고 부유해지는 나라와 가족을 볼 수 있었기 때문에 현재의 젊은 사람들보다 더 행복하지 않았을까 생각됩니다.

행복은 어떤 과정의 도착점에서 느낄 수 있는 감정이 아니라 지나간 과거보다 오늘이 더 나아졌다는 인식과 앞으로 더 나아질 거라는 기대에서 나옵니다. 변화의 과정을 거치며 점점 나아지는 상태에서 나도 모르는 사이에 느껴지는 감정의 변화와도 같은 것입니다. 그것은 제가 어린 시절 부자가 되기로 결심했지만 경제적 자유에 도달해가는 과정에서 점점 스스로 행복해지고 있음을 깨달은 경험과도 같습니다. 여전히 부자가 아니라고 생각하지만 과거와는 다르게 일확천금 따위에는 관심이 사라지고 현재도 조금씩 조금씩 더 행복해지고 있다는 것을 느낄 수 있습니다.

어쩌면 행복해지기 참 어려운 시대에 우리가 태어나서 살고 있다고 생각할 수도 있지만 어차피 한 번 사는 인생 행복해지는 것보다 더 중요한 게 있을까 자문해 보았으면 합니다.

저의 인생을 돌아보자면 그래도 이번 생애에는 한국이 월드컵 4

강에 진출하는 장면도 봤고, 김연아 선수가 금메달을 목에 거는 것도 봤고, BTS가 세계 최고의 가수가 되어가는 과정도 지켜봤고, 봉준호 감독이 아카데미상을 받고, 오징어 게임이 에미상 받는 것도 봤는데 이만한 인생이면 뭐 꽤 괜찮은 시기에 괜찮은 장소에서 살았다고 생각합니다.

모두 각자의 삶에서 가장 행복할 수 있는 방법을 찾아 모두가 행복한 인생을 살아갈 수 있기를 바라 봅니다.

Chapter 05

경제적 자유를 위한 실천

Execution

01

구체적인 목표

여기까지 읽어오는 동안 제가 경제적 자유를 이루기 위해 노력한 과정 그리고 그 과정 속에서 고민한 삶의 자세들이 조금 와닿았기를 바랍니다. 어쩌면 대단한 깨달음을 얻었을 수도 있고 그렇지 않았을 수도 있습니다. 그러나 여전히 경제적 자유라는 목표가 마음속에 남아 있다면 그것을 이루기 위해 좀더 구체적인 계획을 세워보기를 바랍니다. 제가 경제적 자유를 이루고자 마음 먹은 후에 가장 먼저 한 것은 바로 구체적인 목표를 세우는 일이었습니다.

현재의 주거비와 앞으로의 예상 소득, 예상 투자 수익을 연 단위로 계산해 보고 어느 정도 시점이 되면 회사에서 주는 월급에 구속받지 않고 진정으로 원하는 일을 선택할 수 있을지 계산해 봤습니다.

목표와 계획은 모두가 다를 수 있지만 중요한 것은 목표한 것을 계획으로 만들어보는 것입니다. 계획은 정확히 지켜지지 않을 수도 있습니다. 더 솔직히 말하자면 정확히 지켜질 가능성도 적지만 그럼에도 불구하고 계획을 구체적으로 써 내려가고 주기적으로 목표를 환기함으로써 이미 목표에 한 걸음 다가갔다고 할 수 있습니다.

내가 이루고자 하는 목표가 10이라는 수치에 해당하는 것이라면 1이라는 첫 걸음을 통해서 10배에 해당하는 10이라는 목표에 도달할 가능성이 열리지만, 그대로 0에 머물러 있다면 10배가 되든 100배가 되든 여전히 나의 위치는 0일 수밖에 없습니다.

우선 첫 번째 단계로 나에게 필요한 매달의 지출 규모를 써봅니다. 그리고 수익률을 4~5% 수준으로 잡고 나에게 필요한 매달의 소득이 얼마인지 계산해 봅니다.

내가 매달 쓰는 돈이 평균 100만 원이라면 일년 동안 1,200만 원의 소비 금액이 필요하고, 연 5%의 수익률로 1,200만 원이라는 돈을 만들기 위해서는 2억 4,000만 원의 투자금이 필요하다는 계산이 나옵니다.

현재 시점을 기준으로 2억 4,000만 원의 투자금만 확보할 수 있다면 이제 당신은 노동을 하지 않아도 자신의 소비 생활을 그대로 이루어 나갈 수 있습니다. 물론 물가 상승률을 고려하거나 내 집 마련, 결혼과 같은 당신의 삶에서 일어날 수 있는 커다란 생애 이 벤트까지 계산에 넣으면 훨씬 더 복잡해질 수밖에 없지만 이러한 목표 설정을 통해서 현실을 정확하게 인지하는 과정이 중요합니다.

결과적으로 나온 2억 4,000만 원이라는 수치를 보고 이루기 어려운 목표라고 생각할 수도 있지만 구체적인 수치를 확인한 이상 당신은 이미 큰 걸음을 내디딘 것입니다. 그리고 이 책에서 여러 번 언급했듯이 경제적 자유는 생계 문제로부터 해방된 직업적 선택의 자유라고 할 수 있기 때문에 자본 소득을 바탕으로 하고 싶은 일을 돈에 구애 받지 않고 선택할 수만 있다면 미래에는 아마도 스스로 계산한 금액보다 훨씬 더 많은 돈을 여전히 벌고 있을 확률이 높습니다.

[실천 목표]
경제적 자유에 필요한 소비와 자본 소득의 규모를 구체적으로 계산하고 기록해보자

02

소비성향

과거의 한때는 오직 한 번뿐인 인생을 즐기고 살자는 욜로(YOLO, You Only Live Once) 문화가 크게 번지기도 하고, 최근에는 SNS의 과시적인 소비문화가 대세가 되면서 다른 사람의 소비 흐름을 따라 하는 디토(Ditto) 소비가 늘기도 했습니다. 그러나 시대가 변하면서 사람들의 인식도 변화하여 절약 문화 자체를 과시하는 것도 꽤 멋지고 의식 있는 행위가 되었습니다. 이런 시대적 변화는 지출을 0원으로 줄이고 극단적인 절약을 일정 기간 동안 실천하는 '무지출 챌린지'라는 것으로 MZ세대들 사이에서 상당히 유행하기도 했습니다. 이렇게 세상의 모든 일은 일정 수준의 임계점을 지나면 다시 회귀하는 경향이 있고 유행과 가치는 돌고 도는 특성이 있습니다.

무지출 챌린지가 의미 있는 이유는 자신의 경제적인 위치를 파악하고 스스로의 소비성향을 극단적인 방법으로 확인해 볼 수 있다는데 있습니다. 지출을 완벽하게 통제한다면 그 사람의 소비성향은 0이 되고 저축성향은 자연스럽게 1이 됩니다.

소비성향을 최대한 줄이고 저축성향을 극단적으로 높이는 시도를 통해 자신의 기준에 맞는 소비성향을 파악하고 현실적인 저축 목표를 설정하는 것이 가능해질 수 있습니다.

여기에 소비성향보다 더 중요한 부분이 한계소비성향에 대한 목표입니다. 소비성향의 목표가 얼마가 되었든 한계소비성향의 목표만큼은 항상 0에 가까워야 합니다.

직장인이라면 예상하지 못한 인센티브를 받을 수도 있고 여러가지 재테크 수단을 통해서 급여 이외의 소득이 생길 수도 있습니다. 적금의 만기일이나 예금의 만기일에는 이자 소득이 생길 수도 있는데 흔히 공짜돈이라고 생각하기 쉬운 이런 돈들이 생겼을 때 그 돈을 어떻게 관리하는지에 따라 자산을 모으는 속도는 크게 달라지게됩니다. 한계소비성향을 0으로 만든다는 것은 이런 추가 소득이 생겼을 때 소비하지 않고 절대적으로 저축한다는 목표를 가진다는 것입니다.

자산을 모으기 위해서는 돈이 생겼으니 소비하는 것이 아니라 소비에 필요한 예산 이외의 모든 소득은 저축한다는 생각을 가져야 합니다.

[실천 목표]
저축성향 0.7 그리고 한계소비성향 0를 목표로 도전하자

03

작은 자본 소득

작은 자본 소득을 만들어 보고 자본 소득을 따로 기록하는 것 또한 중요합니다.

자본 소득의 종류는 다양하지만 가장 안전하고 만들기 쉬운 자본 소득은 적금과 예금입니다. 적금과 예금은 만기가 되기 전에는 절대로 해지해서는 안되고 이를 통해 얻은 소득을 별도로 분리해서 추가 소득이 쌓여가는 과정을 기록해 보는 노력이 필요합니다. 주식이나 펀드의 경우도 원금에서 얼만큼의 수익이 생겼는지 항상 기록하고 관리하여 추가된 소득을 정확히 파악할 필요가 있습니다.

통장 쪼개기 방법 중 급여통장, 비상금 통장, 생활비 통장, 저축통장에 더해서 자본소득 통장을 별도로 만들어 관리하는 것도 의미가 있습니다.

수시입출금이 가능하지만 이자가 높은 CMA(Cash Management Account) 계좌에 자본 소득만 별도로 모아보면 자본 소득이 점점 쌓여가는 것이 눈에 보이게 됩니다. 초기에 중요한 것은 자본 소득의 규모 보다는 노동이 아닌 자본을 통해서 소득이 쌓인다는 것의 의미와 가치를 느껴보는 것입니다.

대부분 사람들의 첫 자본소득은 아주 보잘것없어 보일 가능성이 높습니다. 그렇기 때문에 꾸준히 자본소득으로 모인 돈을 기록하고 결산할 필요가 있으며 그렇게 몇 년간의 자본 소득을 모아서 확인해 본다면 생각보다 의미 있는 규모의 자금이 되어 있는 것을 알수 있게 됩니다. 매년 자본 소득의 규모를 조금씩 늘려가는 실천을 통해 5년, 10년, 20년 후에는 남들보다 훨씬 큰 부의 격차를 만들어낼 수 있고 경제적 자유에 한 걸음 다가갈 수 있게 됩니다.

[실천 목표]
소소한 자본 소득을 만들고, 만들어진 자본 소득을 정확하고 꾸준하게 기록하자

04

기록, 관리, 점검

가계부는 나의 기록이자 역사입니다. 단지 재무적인 목표를 달성하기 위한 수단을 넘어서 오랜 시간이 지난 가계부의 내용을 들여다보면 그 당시에 있었던 일들을 기억하는 일기장과 같은 도구가 되기도 합니다.

가계부는 자신에게 가장 잘 맞는 방식을 선택해야 하는데 너무 쓰기 어렵거나 복잡해도 안되지만 너무 편리해서도 안됩니다. 적어도 매일 손이 가는 방식의 가계부를 선택하는 것이 좋습니다.

저의 가계부 기록 방식은 보통 사람들보다 조금 복잡합니다. 스마트폰 앱으로 모든 수입, 지출, 이체를 기록해서 잔고를 맞추고 모든 수입과 지출이 발생할 때마다 해당 내용을 직접 수정하고 기록합니다. 그리고 한 달이 지나면 앱에 기록된 수입, 지출을 온라인 스프레드시트에 다시 기록하고 매달의 저축률을 계산하여 결산합니다.

매년 말에는 온라인 스프레드시트에 일년 간 쌓인 기록을 결산하여 자산이 늘어나는 수치를 눈으로 직접 확인합니다. 스프레드시트를 조금 능숙하게 활용할 수 있다면 매년 쌓이는 지표를 그래프로 만들어 볼 수도 있습니다. 저는 연간 총소득, 자본소득, 총지출, 월평균 지출, 연도별 순자산 등을 20년 간의 그래프로 관리하고 있습니다. 구체적인 수치와 그래프를 눈으로 확인하는 것이 막연하게 돈을 모으는 것에 비해 훨씬 큰 동기 부여 효과를 주기 때문에 가계부를 기록하고 열어보는 것에 재미를 붙이고 꾸준히 자산 관리를 하는 것이 필요합니다.

매달 지출 항목별로 정확한 예산을 세우기 보다는 전체적인 저축 목표를 세우는 것이 더 나은 방법입니다. 그 이유는 정확한 예산을 세우는 것이 쉽지도 않을 뿐만 아니라 실제로 지키기도 어렵기 때문입니다.

저축 목표를 소득의 70%로 세웠다면 30%의 지출로 생활해야 합니다. 소득이 200만 원인 사람이라면 60만 원 이내에서만 소비를 해야 하지만 소득이 1,000만 원으로 늘어나면 300만 원을 쓸 수 있는 규모가 됩니다. 이는 지출을 줄여 저축 목표를 달성하는 것 만큼이나 소득을 늘려야 하는 이유가 될 수 있습니다.

연간 저축 목표를 세우고 매달 결산해 나가면서 최종 저축 목표를 달성하기 위한 노력을 게을리하지 않는다면 당장 이번 달에 저축 목표를 달성하지 못했다고 해도 쉽게 포기하는 일은 생기지 않습니다.

[실천 목표]

가계부를 기록하고, 관리하고, 자주 들여다보는 습관을 들이자

05

몰입의 경험

경제적 자유를 얻기 위해서는 경제에 대해 알아야 합니다. 그리고 경제를 알기 위해서는 경제 공부에 몰입하는 경험이 필요합니다. 부동산 투자가 되었든, 주식 투자가 되었든 혹은 경제와 관련 없는 나만의 공부 분야가 되었든 관련된 책을 10권 이상 몰아서 읽어본 사람과 가끔씩 취미처럼 읽어본 사람은 지식과 전문성에 큰 차이가 생깁니다.

부동산 투자를 시작하기 위해 일단 부동산부터 사고 보는 사람은 없습니다. 남들이 이미 부동산 투자로 큰 돈을 벌었다는 얘기를 듣거나 주변 사람들이 대부분 부동산 투자를 시작해서 마음이 조급해질 수도 있지만 아무런 준비가 되어 있지 않은 상태에서 투자에 뛰어드는 것만큼 위험한 것은 없습니다.

투자에 대한 지능을 높이기 위해서는 최소한 관련된 책을 수십 권 이상 몰아서 읽어봐야 합니다. 처음 한 권을 읽을 때는 익숙하지 않은 내용에 어렵다는 생각이 들 수 있지만 빠른 속도로 많은 책을 읽다 보면 중복되는 내용에 대한 이해도가 높아지기 때문에 책을 읽는 속도가 점점 빨라지게 됩니다.

어떤 투자가 되었든 책을 읽고 공부하며 충분히 경험하고 준비할 시간은 있습니다. 200년이 넘는 자본주의 역사에서 시장은 항상 그 자리에 있었고 당신이 투자로 성공할 수 있는 기회는 앞으로도 계속 남아있을 예정이니 너무 조급하게 생각할 필요는 없습니다.

사실 제가 말하고자 하는 것은 부동산 투자에 대한 것도, 주식 투자에 대한 것도, 수십 권 이상의 책에 대한 것도 아닙니다. 이루고자 하는 목표가 있다면 일정 기간 동안 그 일에 완전히 몰입하는 경험을 가져야 한다는 것입니다. 완벽하게 몰입한 경험을 가져본 사람은 더 빠르게 성장할 수 있고, 더 확실하게 성공할 가능성이 있습니다. 한 분야에 미쳐서 몇 년 이상을 꾸준히 노력해온 사람에게 아무런 성과나 깨달음이 돌아오지 않는 경우를 저는 본 적이 없습니다.

[실천 목표]

성공하고 싶은 투자 분야에 대해 50 ~ 100권의 책을 최대한 빠른 기간 내에 읽겠다는 목표를 설정하고 도전해보자

06

현재의 행복

　지금까지 제가 경제적 자유에 대해 이야기한 내용은 부자가 되기 위한 목표와는 상당히 다릅니다. 경제적 자유는 나 자신이 스스로 자유롭다고 느끼게 되는 지점에 관한 것입니다. 직업을 선택할 때 단순히 경제적 보상이 유일한 선택의 기준이 되지 않도록 하고, 돈이 되지 않는 일에도 나의 시간과 열정을 충분히 투자하고 도전할 수 있도록 만들어주는 것이 경제적 자유입니다.

　제가 이 책에서 얘기하려는 결론은 돈이나 부가 아니라 자유를 통해 행복한 삶을 얻고자 하는 방법에 가깝습니다. 돈이 없어도 누구보다 행복하게 살 자신이 있는 사람이라면 굳이 돈에 집착할 필요가 없습니다. 그러나 대부분의 사람에게 있어서 돈은 기본적인 행복의 조건을 충족시키기 위해 매우 중요한 요소입니다. 많은 사람들이 미래를 불안해 하는 이유도 결국 경제적인 우려 때문이라는 점에 대해서 누구도 부인하기 어렵습니다. 만일 미래를 위해 돈을 모으는 것이 자신에게 너무나도 큰 불행이라면 미래의 행복을 위해 현재를 희생하는 것 또한 어리석은 행동입니다.

돈 공부와 투자로 미래를 준비하는 과정에서 돈이 모이고 자산이 쌓여가는 것을 통해 행복을 느낄 수 있다면 점점 더 행복한 삶에 가까워질 수 있습니다. 저는 사회 초년생 시절 마이너스이던 자산이 점점 불어나고 쌓여가는 과정에서 미래에 대한 막연한 불안감이 줄어들고 점점 더 행복한 삶에 가까워진다는 희망을 가지게 되었습니다.

돈을 모으고 투자를 하는 똑같은 행위일지라도 부자를 목표로 할 것인지 경제적 자유를 목표로 할 것인지에 따라서 그 과정은 많이 달라질 수 있습니다. 현재의 내가 행복한지 그리고 점점 더 자유롭고 행복한 삶에 다가가고 있는지 항상 돌아보며 현재를 희생하지 않는 것이 경제적 자유에 도달하는 바람직한 과정이라고 할 수 있습니다.

[실천 목표]
돈에 대해 공부하고 투자하는 과정에서 스스로 행복한지 항상 돌아보자

작가의 말

책을 쓰겠다는 생각은 꽤 오래전부터 해왔습니다.

제가 재테크와 관련해서 처음 글을 쓴 것은 2017년 4월 다음 포털의 대표적인 재테크 카페였던 텐인텐(10in10)에 '사회 초년생들이 꼭 알아야 할 재테크'라는 제목으로 올린 글이었습니다. 당시 그 글은 수 천회가 넘는 조회수를 기록했고, 카페 내에서 이달의 베스트 글로 뽑혀 많은 댓글이 달리기도 했습니다. 그리고 같은 내용의 글이 이 책의 Chapter 02, 두 번째 항목인 '사회 초년생이 알아야 할 재테크의 기본'이라는 제목으로 실려 있습니다.

그 후로는 특별히 글 쓰는 활동을 하지 못했지만 제 자신도 많은 사람들이 쓴 책으로부터 얻은 지식과 정보를 통해 성장해 왔기 때문에 그동안의 경험을 나누고 싶다는 생각을 항상 품고 살아왔습니다.

저는 20대 후반에 컴퓨터 그래픽과 관련한 기술 서적을 한 권 집필한 적이 있습니다. 이때도 어렵게 영문 매뉴얼을 찾아보며 수년간 공부하고 일했던 경험 때문에 새로 공부를 시작하는 학생들에게 도움을 주고 싶다는 생각으로 책을 쓰게 되었고, 그때까지의 경험을 모두 담아 6개월 동안 쉬지 않고 원고를 써 내려가 한 권의 책으로 출간되었을 때의 뿌듯함을 지금도 잊지 못합니다.

이번에 책을 쓰겠다고 마음먹은 계기도 20년 이상 직장인으로 살아오며 본업이 아닌 분야에 대해 혼자서 공부하고 고민했던 경험들을 남기고 싶다는 생각이 들었기 때문입니다. 그러나 과거에 책을 썼던 과정을 다시 반복할 자신은 없었고, 그래서 시작한 것이 블로그였습니다. 블로그에 조금씩이라도 매일 글을 써두면 시간이 지나고 글들이 쌓였을 때 이를 엮어서 책으로 내볼 수 있지 않을까 생각했습니다. 또한 플랫폼 비즈니스의 중요성에 대해 오래전부터 느껴왔기 때문에 기존의 레거시 출판 방식이 아닌 새로운 플랫폼 채널을 통해 책을 내는 것이 좋겠다고 생각해서 처음에는 전자책을 내겠다고 마음먹었습니다.

블로그를 시작한 지 1년 반이 되었을 즈음 그동안 쌓인 글들을 모아 원고를 작성하기 시작했습니다. 그러나 막상 원고를 완성해 놓고 보니 출판사에 투고해 보고 싶다는 생각이 다시금 생겨서 여러 출판사와 접촉을 해 보았으나 잘 성사되지는 않았습니다. 저의 원고가 충분히 좋지 않았을 수도 있지만 책이 출판되었을 때 판매에 도움이 될 수 있는 관련 분야의 경력, 인맥, 강연 계획, 홍보 채널 등이 있는지에 대한 피드백을 출판사로부터 많이 받게 되었습니다. 그렇게 생각해 보니 경제, 재테크 분야에서 혼자 공부하고 투자해 온 시간은 길었지만 주변에 서평을 부탁할 사람 한 명이 없고,

관련 업계에서 일하고 있는 지인조차 한 명이 없다는 사실을 새삼 깨닫게 되었습니다.

이런 상황에서 새롭게 알게 된 플랫폼이 부크크를 통한 자가 출판이었습니다. 책을 출판할 수 있다는 점에서도 의의가 있었지만 처음에 생각했던 새로운 플랫폼을 이용한 출판이라는 점에서도 의미가 있는 도전이라는 생각이 들었습니다. 그동안 경제적 자유를 얻기까지의 과정에서 감사를 전하고 싶은 사람들은 모두 제가 읽은 책 속에만 존재하기 때문에 직접 인사를 전할 수는 없지만 이렇게 책을 낼 수 있게 된 세상의 변화에는 감사해야 할 것 같습니다.

마지막으로 완전한 은퇴가 아닌 세미 리타이어에 큰 의미를 두는 이유에 대해 부연하자면 인간의 수명이 너무 길어졌다는 생각이 들었기 때문이기도 합니다. 2022년 기준으로 우리나라 국민의 평균 기대 수명은 82.7세이고 앞으로 100세 시대로 가는 과정에서 기대 수명은 점점 더 늘어날 가능성이 높습니다. 문제는 젊은 시절의 건강과 체력으로 수명이 연장되는 것이 아니라 노인으로서 더 오래 살아야 한다는 부분입니다. 이러한 사실은 지금까지 우리가 경험해 보지 못한 새로운 두려움이기도 합니다. 그래서 제 인생의 다음 라운드에서는 시간과 장소에 구애받지 않고 다양한 콘텐츠를 만들어 전달하는 일을 해보고 싶다는 생각을 하게 되었습니다. 비록 이 일로 돈을 벌 수 있을지 확신은 없지만 돈을 버는 방법은 이미 오랜 시간 동안 습득해 왔고 현재도 다양한 파이프라인 소득을 가지고 있기 때문에 새로운 플랫폼에서의 도전은 즐거운 일이 될 것 같습니다. 콘텐츠의 주제는 경제나 재테크에 대한 내용 뿐만 아니라 제가 20년 넘게 해온 디자인 분야가 될 수도 있고, 제가 좋아하는 여행이나 영화가 될 수도 있습니다.

새로운 플랫폼의 시대에 무한하게 열려 있는 많은 기회에 도전하며 사는 것이 지금과 같은 고령화 시대에 적응하는 하나의 길이라고 생각합니다.

경제적 자유를 꿈꾸며 저처럼 인생 2라운드를 준비하는 모든 분들을 응원하며 앞으로 더 많은 사람들에게 세미 리타이어의 시대가 열리기를 희망합니다.

2024년 봄
푸른염소